Développez habilement vos relations humaines

suivi de **L'Art de négocier** avec les gens

Adresse municipale :
Les éditions Un monde différent
3905, rue Isabelle, bureau 101
Brossard (Québec) Canada
J4Y 2R2
Tél. : 450 656-2660 ou 800 443-2582
Téléc. : 450 659-9328
Site Internet : www.umd.ca
Courriel : info@umd.ca

Adresse postale :
Les éditions Un monde différent
C.P. 51546
Greenfield Park (Québec)
J4V 3N8

Ces deux ouvrages ont été publiés en anglais sous les titres originaux :
SKILL WITH PEOPLE et THE ART OF DEALING WITH PEOPLE
Publiés par DreamHouse Publishing
2100 Blossom Way S, St Petersburg, Florida, USA 33712

Dépôts légaux : 2e trimestre 2015
Bibliothèque et Archives nationales du Québec
Bibliothèque et Archives Canada
Bibliothèque nationale de France

Conception graphique de la couverture :
OLIVIER LASSER

Version française :
JEAN-PIERRE MANSEAU

Photocomposition et mise en pages :
LUC JACQUES, COMPOMAGNY ENR.
Typographie : Minion 13 sur 15 pts

ISBN 978-2-89225-876-9
(ISBN 2-9200-0014-4, 1re publication de Développez habilement vos relations humaines)
(Édition originale Skill with people : ISBN 0-9616416-0-6 Édition originale The Art of dealing with people : 978-1-937094-04-1)

Nous reconnaissons l'aide financière du gouvernement du Canada par l'entremise du Fonds du livre du Canada (FLC) pour nos activités d'édition.

Gouvernement du Québec – Programme de crédit d'impôt pour l'édition de livres – Gestion SODEC.

Gouvernement du Québec – Programme d'aide à l'édition de la SODEC.

IMPRIMÉ AU CANADA

Leslie T. Giblin

Développez habilement vos relations humaines

suivi de **L'Art de négocier** avec les gens

UN MONDE DIFFÉRENT

Développez habilement vos relations humaines

Chez le même éditeur, du même auteur

Développez votre confiance et votre puissance avec les gens, Brossard, éditions Un monde différent, 1993, 248 pages.

Développez habilement vos relations humaines, suivi de *L'Art de négocier avec les gens,* Brossard, éditions Un monde différent, 2015, 160 pages.

Bienvenue

Développez habilement vos relations humaines est le plus gratifiant des talents de l'être humain. *L'Art de négocier avec les gens* est le volet complémentaire qui permet de constater à quel point les notions du premier livre ont été bien comprises et intégrées dans nos communications avec autrui. C'est pourquoi nous avons réuni les deux livres en un seul.

Votre habileté dans les relations humaines et l'art de négocier avec les gens déterminent la qualité de votre vie professionnelle, familiale et sociale.

Bien que certaines notions soient répétitives pour mieux les approfondir, les connaissances et les techniques de ce livre amélioreront avantageusement votre savoir-faire avec les gens.

Utilisez-les !

J'éprouve un réel plaisir à vous aider dans ce domaine vital.

Bonne chance !

Table des matières

COMPRÉHENSION HUMAINE N° 1

COMMENT NOUS APPRENONS ET ACHETONS

83 %	par la vue
11 %	par l'ouïe
3,5 %	par l'odorat
1,5 %	par le toucher
1 %	par le goût

COMPRÉHENSION HUMAINE N° 2

COMBIEN D'INFORMATIONS NOUS RETENONS

10 % de ce que nous lisons

20 % de ce que nous entendons

30 % de ce que nous voyons

50 % de ce que nous voyons et entendons

70 % de ce que nous disons en parlant

90 % de ce que nous disons en agissant

COMPRÉHENSION HUMAINE N° 3

COMMENT NOUS RETENONS CE QUI NOUS EST ENSEIGNÉ

Méthodes d'enseignement	Enseignement retenu trois heures après	Enseignement retenu plusieurs jours après
Par des paroles seulement	70 %	10 %
Par des images seulement	72 %	29 %
Par des paroles et des images en même temps	85 %	65 %

Chapitre 1

Comprendre les gens et la nature humaine

La première étape pour accroître votre habileté à traiter avec les gens – pour parvenir à des relations humaines harmonieuses – consiste à les comprendre de la bonne façon, ainsi que leur nature.

Lorsque vous possédez une vraie compréhension de la nature humaine et du monde en général ; que vous comprenez pourquoi les gens agissent comme ils le font ; que vous savez pourquoi et comment les gens réagissent dans certaines situations, alors et alors seulement, vous pouvez devenir un habile gestionnaire d'êtres humains.

Comprendre les gens et la nature humaine consiste tout simplement à reconnaître les gens pour ce qu'ils sont, non pas pour ce que vous pensez qu'ils sont, ni pour ce que vous aimeriez qu'ils soient.

Que sont-ils ?

LES GENS S'INTÉRESSENT PRINCIPALEMENT À EUX-MÊMES, ET NON À VOUS !

En d'autres mots, l'autre personne est 10 000 fois plus intéressée à elle-même qu'à vous.

Et vice versa ! Vous êtes plus intéressé à vous-même qu'à qui que ce soit sur terre.

Souvenez-vous que les pensées et les intérêts personnels d'une personne guident ses actes. Ce sentiment est si fort que les pensées dominantes en faisant la charité sont la satisfaction et le plaisir que le donneur ressent en donnant, et non le bien que le don procurera. Cela vient en second.

Il ne faut pas s'excuser ou être embarrassé de reconnaître que l'intérêt personnel prévaut dans la nature humaine. Ce phénomène remonte au début des temps et durera jusqu'à la fin des temps, puisque l'homme est ainsi fait. Nous sommes tous semblables sous cet aspect.

Cette notion, selon laquelle tous les gens s'intéressent premièrement à eux-mêmes, vous fournit la base sur laquelle vous pouvez vous appuyer pour réussir dans vos relations avec eux.

Cela vous procure également du pouvoir et de l'habileté dans vos relations interpersonnelles. Au cours des prochains chapitres, vous constaterez que plusieurs techniques avantageuses proviennent de cette compréhension.

C'est un point important, une clé de la vie pour vous, de prendre conscience que les gens s'intéressent d'abord à eux-mêmes, et non pas à vous.

Chapitre 2

Comment parler habilement avec les gens

Dans vos conversations, choisissez le sujet le plus intéressant possible pour vos interlocuteurs.

Quel est, à leurs yeux, le sujet le plus captivant au monde?

Eux-mêmes!

Lorsque vous leur parlerez d'eux-mêmes, ils afficheront un profond intérêt et deviendront totalement fascinés. Ils auront une bonne opinion de vous, pour avoir agi ainsi.

Lorsque vous leur parlez d'eux, vous les flattez, vous agissez en accord avec leur nature humaine. Lorsque vous parlez de vous-même, vous les ennuyez, car vous ne les flattez pas alors dans le sens de leur nature humaine.

Rayez de votre vocabulaire les quatre mots suivants :

« Je, moi, mon, mien. »

Substituez-leur un mot, le plus puissant de la langue humaine :

« TOI »

Exemple : « Ceci est pour TOI. » « TU en tireras profit si TU fais cela. » « Ceci plaira à TA famille. » « TU bénéficieras des deux avantages. »

VOICI UNE CLÉ – Si VOUS renoncez à la satisfaction que VOUS ressentez à parler de vous-même et à employer les mots « je, moi, mon, mien », l'efficacité de VOTRE personnalité, VOTRE influence et VOTRE pouvoir s'accroîtront énormément.

Il faut reconnaître que ce n'est pas facile à faire. Cela requiert de la pratique, mais les récompenses en valent vraiment la peine.

Une autre excellente manière de se servir de cet intérêt des gens pour eux-mêmes consiste à les inciter à parler d'eux dans les conversations. Vous verrez que les gens préfèrent parler d'eux-mêmes plutôt que de n'importe quel autre sujet.

Si vous orientez la conversation pour que les gens parlent d'eux-mêmes, ils vous apprécieront beaucoup. Vous y parviendrez en leur posant certaines questions à propos d'eux-mêmes, telles que :

« Comment va ta famille, Jean ? »

« Qu'advient-il de ton garçon qui est dans l'armée, André ? »

« Où demeure maintenant ta fille qui est mariée, Joseph ? »

« Depuis combien de temps travailles-tu pour cette entreprise, Arthur ? »

« Est-ce votre ville natale, monsieur Gagnon ? »

« Que pensez-vous de cela, Thérèse ? »

« Est-ce une photo de votre famille, Carmen ? »

« Avez-vous fait bon voyage, Gérard ? »

« Est-ce que votre famille vous accompagnait, Yvon ? »

La plupart d'entre nous ne sont pas efficaces avec les gens, car nous sommes occupés à penser et à parler de nous-mêmes. Rappelez-vous que le fait d'aimer vos propres remarques et sujets de conversation importe moins que de savoir si ceux qui vous écoutent les aiment.

Alors, lorsque vous conversez avec d'autres gens, parlez d'eux. Et faites-les parler d'eux-mêmes.

C'est ainsi que vous deviendrez un brillant causeur.

Chapitre 3

Comment aider adroitement les gens à se sentir importants

Le sentiment le plus universel du genre humain, commun à tous, un trait tellement fort qu'il incite les gens à effectuer les choses qu'ils font, qu'elles soient bonnes ou mauvaises, c'est le désir d'être important et reconnu.

Pour être habile en relations humaines, assurez-vous de faire en sorte que les gens se sentent importants. Rappelez-vous que plus vous agirez dans ce sens, plus ils réagiront de façon positive à votre égard.

Tout le monde veut être traité avec considération. Personne ne veut être considéré comme un moins que rien, et lorsque nous ignorons les gens ou que nous les rabaissons, c'est exactement ainsi que nous les traitons.

Rappelez-vous que l'autre personne se sent aussi importante face à elle-même que vous pensez l'être à l'égard de vous-même. La mise en pratique de cet élément est l'une des pierres angulaires de relations humaines couronnées de succès.

Voici quelques conseils sur la façon de reconnaître les gens en leur donnant de l'importance :

1. **Écoutez-les** *(Voir le chapitre 5 : Comment être à l'écoute des gens avec habileté)*
    - Écouter les gens est justement la meilleure façon de leur faire ressentir leur importance.
    - Notre manque d'écoute fait en sorte qu'ils ne se sentent pas importants à nos yeux.
2. **Louangez-les et complimentez-les.**
    - Lorsqu'ils le méritent. Ce doit être sincère.
    - La reconnaissance et l'appréciation sont des besoins fondamentaux pour l'être humain.
3. **Employez leurs prénoms le plus souvent possible.**
    - Appelez les gens par leurs prénoms et ils vous aimeront.

- Il est préférable de dire : « Bonjour, Jean ou Marie », plutôt qu'un simple bonjour sans nommer la personne.

4. **Faites une pause avant de leur répondre.**
   - Cela leur donne l'impression que vous avez réfléchi à ce qu'ils vous ont dit et que ça valait la peine d'y penser.
5. **Employez les mots : « Toi, ton, vous, votre ».**
   - N'oubliez pas, évitez : « Je, moi, mon, mien ».
   - Les mots « toi et votre » leur donnent de l'importance.
6. **Exprimez de la reconnaissance aux gens qui attendent pour vous rencontrer.**
   - S'ils doivent attendre, faites-leur savoir que vous en êtes conscient. Cette attitude leur prouvera que vous les considérez vraiment.
7. **Prêtez attention à tout le monde dans un groupe.**
   - Un groupe réunit plusieurs personnes. Il ne se limite pas à un leader ou à un porte-parole.

CHAPITRE 4

Comment s'entendre à merveille avec les gens

L'étape la plus importante que vous devez franchir pour être habile en relations humaines consiste à maîtriser l'art d'être agréable.

En vérité, voilà bien un joyau de sagesse dans notre monde actuel. Au cours de votre vie, rien ne vous aidera autant que cette technique facile à maîtriser, celle de vous montrer agréable.

Tant que vous vivrez, n'oubliez jamais que n'importe quel entêté peut être en désaccord avec ses semblables. Seule une personne sage, cultivée et avisée peut se montrer quand même agréable, particulièrement quand l'autre personne est dans l'erreur.

L'art d'être agréable comprend six parties :

1. **Apprenez à être agréable, à bien vous entendre avec les gens.**
    - Adoptez l'état d'esprit, l'attitude de vouloir être agréable.
    - Développez une nature aimable. Soyez une personne naturellement agréable.
2. **Dites-le aux gens lorsque vous êtes d'accord avec eux.**
    - Il ne suffit pas d'être agréable avec les gens. Faites-leur savoir que vous êtes d'accord avec eux.
    - Approuvez-les de la tête en les regardant et dites-leur : « Je suis d'accord avec vous ou vous avez entièrement raison. »
3. **Ne leur dites pas que vous êtes en désaccord avec eux, à moins que ce ne soit absolument nécessaire.**
    - Si vous ne pouvez pas être d'accord avec des gens, comme cela arrive souvent, ne le laissez pas savoir à moins de nécessité absolue.
    - Vous serez étonné de constater à quel point cela se produit rarement.
4. **Quand vous êtes dans l'erreur, admettez-le.**
    - Lorsque vous avez tort, admettez-le à voix haute : « J'ai fait une erreur, je n'avais pas raison. »

- Ça prend une personne très forte pour faire un tel aveu, et les gens admirent ceux qui peuvent agir ainsi.
- La personne faible va mentir, nier ou chercher un alibi.

5. **Évitez d'argumenter.**
   - La technique connue la plus pitoyable en relations humaines est d'argumenter. Même si vous avez raison, n'argumentez pas.
   - Personne ne gagne des disputes ou n'obtient des amis en argumentant.
6. **Sachez comment vous comporter avec les batailleurs.**
   - Les batailleurs ne veulent qu'une chose : se battre.
   - La meilleure technique pour leur faire face est de refuser de se battre avec eux. Ils vont rager, rouspéter, puis ils auront l'air ridicules.

L'art d'être agréable :

a) Les gens aiment ceux qui partagent leur opinion ;

b) Les gens n'aiment pas ceux qui ne sont pas d'accord avec eux ;

c) Les gens détestent qu'on les contredise.

Chapitre 5

Comment être à l'écoute des gens avec habileté

Plus vous écouterez, plus vous deviendrez avisé. Vous serez un meilleur causeur et on vous en aimera davantage.

Un bon auditeur gagne beaucoup plus l'affection des gens qu'un bon causeur, car un excellent auditeur permet toujours aux gens d'entendre leurs orateurs préférés : EUX-MÊMES.

Devenir une personne qui sait écouter fait partie de ce petit nombre de choses qui vous aideront vraiment dans la vie.

Toutefois, on ne le devient pas par accident. Voici cinq règles pour être un bon auditeur :

1. **Regardez la personne qui parle.**
   - Écoutez autant avec vos oreilles que vos yeux ; continuez de la regarder tant et aussi longtemps qu'elle parle.
   - Qui vaut la peine d'être écouté mérite qu'on le regarde.
2. **Penchez-vous vers la personne qui parle et écoutez attentivement.**
   - Faites voir que vous ne voulez pas perdre un seul mot.
   - Nous avons tendance à nous pencher vers un fin causeur, et à nous détourner des bavards inintéressants.
3. **Posez des questions.**
   - Cela démontre à la personne qui parle que vous l'écoutez.
   - Poser des questions est un compliment à l'égard de la personne qui parle.
   - Les questions peuvent être aussi simples que : « Et alors, qu'est-il arrivé ? » « Et puis, qu'as-tu fait ? »
4. **Respectez le sujet de l'orateur et ne l'interrompez pas.**
   - Ne changez pas de sujet à moins que la personne ait terminé ; malgré votre

envie pressante de passer à un nouveau thème.

5. **Employez les mêmes mots que l'orateur : « vous » et « votre ».**

   - Si vous employez « je, moi, mon, mien », vous détournez alors l'attention de tous, de l'orateur vers vous-même. Cela s'appelle parler, et non écouter.

Ces cinq règles se résument à de la courtoisie. La meilleure façon d'être courtois, c'est d'écouter.

CHAPITRE 6

Comment influencer les gens habilement

La première grande étape pour amener les gens à faire ce que vous voulez qu'ils fassent, c'est de découvrir *ce* qui va les inciter à le faire.

Quand vous saurez **ce qui** les émeut, vous saurez alors **comment** les faire agir.

Nous sommes tous différents. Nous aimons différentes choses. Nous plaçons des valeurs différentes concernant des choses différentes. Ne faites pas l'erreur de présumer que les gens aiment ce que vous aimez ou souhaitent la même chose que vous.

Découvrez ce qu'ils désirent, ce qu'ils aiment.

Alors, vous pourrez les émouvoir en leur disant ce qu'ils veulent entendre.

Vous leur montrerez tout simplement comment obtenir ce qu'ils veulent, en faisant ce que vous voulez qu'ils fassent.

Voilà le grand secret pour influencer les gens. Il s'agit d'atteindre la cible grâce à ce que vous dites, mais naturellement, vous devez savoir où est la cible.

Pour vous montrer comment mettre ce principe en œuvre, supposons que vous êtes un employeur et que vous voulez embaucher un ingénieur. Vous savez d'avance que plusieurs autres entreprises lui ont déjà offert un poste.

En appliquant le principe suivant : « Cherchez à savoir ce que les gens désirent », vous déterminerez en premier ce que recherchait l'ingénieur dans ce poste, pour cette entreprise, et ce qui l'attirait le plus. Si vous avez découvert qu'il désire des occasions d'avancement professionnel, alors vous pouvez l'informer de ce que vous avez à lui offrir dans ce domaine.

Si le candidat recherche de la sécurité, parlez-lui de sécurité. S'il veut acquérir plus d'instruction et d'expérience, parlez-lui en ce sens. Vous devez découvrir ce que l'ingénieur veut vraiment, et lui démontrer ensuite comment il peut obtenir ce qu'il veut en faisant ce que vous voulez qu'il fasse : c'est-à-dire venir travailler pour vous.

Examinons ce principe à l'inverse : supposons que vous posiez votre candidature à un poste que vous désirez ardemment. Vous devriez d'abord acquérir des notions concernant les fonctions, les responsabilités de cet emploi, afin d'établir que vous êtes qualifié pour occuper ce poste. Si l'employeur recherche une personne capable de s'entretenir avec la clientèle au téléphone, vous pourriez mentionner que vous pouvez le faire ou que vous l'avez déjà fait. Lorsque vous saurez ce qu'il recherche, vous pourrez lui dire ce qu'il veut entendre.

La méthode pour découvrir ce que veulent les gens consiste à les questionner, les observer, et les écouter. En plus de votre effort personnel pour le discerner vous-même.

CHAPITRE 7

Comment convaincre les gens avec adresse

La nature humaine est ainsi faite que bien des gens seront sceptiques à votre égard et envers vos propos lorsque vous direz des choses à votre avantage, et dans votre propre intérêt.

Vous pourrez éliminer beaucoup de ce scepticisme quand vous ferez des déclarations intéressées, en vous y prenant autrement.

La meilleure façon pour vous serait de ne pas faire de déclaration vous-même, mais de citer quelqu'un d'autre. Laissez une autre personne parler à votre place, même si cette dernière n'est pas présente.

- Si l'on vous demande si le produit que vous vendez durera longtemps, vous pouvez répondre : « Mon voisin l'utilise depuis quatre ans et il est encore en bonne condition. » À vrai dire, votre voisin fournit la réponse pour vous, même s'il n'est pas présent.

- Si vous posez votre candidature à un poste, et que votre employeur éventuel se demande si vous pouvez accomplir la tâche, dites-lui à quel point vos anciens patrons étaient satisfaits.
- Si vous essayez de louer votre appartement, et que des gens intéressés vous demandent si le coin est tranquille, vous pourriez leur mentionner que les anciens locataires disaient à quel point cet appartement est calme.

En fait, dans ces exemples, vous ne répondez pas directement à cette demande d'information, ou à la question. Votre voisin, votre ancien employeur, et vos ex-locataires répondent pour vous.

Les gens à qui vous parlez seront plus impressionnés que si vous aviez répondu vous-même.

C'est bizarre, mais personne n'aura le moindre doute que ce que vous leur dites indirectement est vrai. Cependant, ils douteront vraiment si vous leur répondez directement.

Alors, parlez par l'intermédiaire d'une tierce personne.

Citez des gens.

Racontez des histoires de réussite.

Évoquez des faits et des statistiques.

Chapitre 8

Comment amener habilement des gens à se décider

Amener les gens à dire « oui » requiert plus que de la chance, une bonne conjoncture ou un caprice de leur part.

Les gens doués pour les relations humaines disposent de diverses techniques et méthodes qui augmentent considérablement leurs chances que les gens leur disent « oui ». Leur faire dire « oui » signifie simplement les amener à effectuer ce que vous voulez qu'ils fassent.

Voici quatre bonnes méthodes :

1. **Donnez des RAISONS aux gens de vous dire « oui ».**

- Tout ce qui s'accomplit dans ce monde s'effectue pour une raison précise. Alors, lorsque vous voulez que quelqu'un fasse quelque chose, donnez-lui une bonne raison pour laquelle il devrait le faire.
- Toutefois, assurez-vous que les raisons que vous donnez aux gens sont bien les leurs, c'est-à-dire des raisons significatives, à leur avantage et bénéfice.
- La mauvaise manière serait que vous leur donniez des raisons, à votre avantage et bénéfice.
- En somme, dites-leur comment ils vont en bénéficier s'ils font ce que vous voulez qu'ils fassent, et non pas comment vous pourriez en tirer vous-même un avantage.

2. **Posez des questions qui requièrent un « oui » comme réponse.**

   - Lorsque vous voulez qu'on vous dise « oui », amenez d'abord les gens à avoir un état d'esprit positif. Vous y parviendrez en leur posant deux ou trois questions auxquelles ils répondront « oui ».

Exemples :

- Vous voulez que votre famille soit heureuse, n'est-ce pas ? (Ils le veulent, bien sûr).
- Vous voulez la meilleure valeur pour votre argent, n'est-ce pas ? (Bien sûr que oui).

- Une question « oui » est une question à laquelle on ne peut répondre que par « oui ».
- L'idée sous-jacente aux questions « oui » est d'amener les gens dans un état d'esprit affirmatif et positif, afin qu'ils acquiescent plus facilement à vos requêtes.

Assurez-vous cependant d'énoncer ces questions « oui » correctement. FAITES SIGNE QUE « OUI » DE LA TÊTE EN MÊME TEMPS QUE VOUS QUESTIONNEZ, ET COMMENCEZ LA QUESTION PAR LE MOT « VOUS ».

- « Vous voulez le meilleur produit, n'est-ce pas ? » (Faisant signe que oui de la tête.)
- « Vous voulez un avenir assuré, n'est-ce pas ? » (En approuvant de la tête.)

3. Donnez aux gens le choix entre deux « oui ».

- Autrement dit, incitez les gens à choisir de vous dire « oui » d'une façon ou d'une autre. Quelle que soit la façon qu'ils choisiront, ils vous diront « oui ».
- Il est infiniment préférable de ne pas leur donner le choix entre un « oui » et un « non ». C'est ce qui arrive quand vous leur demandez de faire quelque chose.
- « Oui » veut dire qu'ils le feront. « Non » signifie qu'ils ne le feront pas.

- L'astuce consiste à leur faire choisir ce que vous voulez, d'une manière ou d'une autre. Par exemple, si vous désirez un rendez-vous avec M. Smith, vous pourriez dire :

« Est-ce que cet après-midi vous convient, monsieur Smith, ou préférez-vous demain matin ou demain après-midi ? » (Vous lui donnez un choix de temps pour votre rendez-vous, un choix de « oui »).

- La manière la moins efficace serait de demander un rendez-vous. De cette façon, vous lui donnez un choix entre oui (vous pouvez avoir un rendez-vous) et non (vous ne pouvez pas avoir ce rendez-vous).

Exemples :

« Voulez-vous le noir ou le blanc ? » (Au lieu de : « Voulez-vous un de ceux-là ? »)

« Voulez-vous commencer à travailler demain ou mardi ? » (Au lieu de : « Voulez-vous commencer à travailler ? »)

« Voulez-vous régler par carte de crédit ou comptant ? » (Plutôt que : « Voulez-vous cela ? »)

Cette méthode ne fonctionnera pas chaque fois, mais elle réussira très souvent, et bien mieux que si vous laissiez les gens choisir entre dire oui ou non.

4. **Attendez-vous à ce qu'ils vous disent « oui », *et faites-leur savoir que vous vous attendez à un « oui ».***

   - Le fait de vous attendre à un oui démontre votre confiance en vous-même. Cependant, cela vous mène un pas plus loin que la confiance en soi. Vous leur faites savoir, vous leur donnez une fois pour toutes l'impression que vous vous attendez à ce qu'ils disent « oui ».

- Presque tous les gens s'abstiennent au départ de prendre parti d'un côté ou de l'autre, mais ils peuvent être guidés. Plusieurs n'hésitent jamais à faire ce que vous voulez, une fois que vous leur faites savoir ce que vous attendez d'eux.
- Voilà une excellente psychologie qu'il vous sera facile de mettre en pratique après quelques réussites initiales.

Chapitre 9

Comment influencer habilement l'humeur des gens

Vous pouvez vous faire aimer de 9 personnes sur 10 presque immédiatement.

Vous pouvez amener 9 personnes sur 10 à être courtoises, coopératives et amicales en quelques minutes, avec la même magie.

Voici comment :

1. N'oubliez pas que les premières secondes d'une relation en déterminent habituellement le ton et l'esprit.
2. Utilisez la loi fondamentale du comportement humain : *Les gens ont fortement tendance à réagir*

de la même façon au comportement d'autres personnes.

Alors, dès la première seconde, à cet instant même où le contact des yeux s'opère, avant même d'avoir prononcé un mot, avant de briser le silence, *offrez aux gens votre sourire le plus sincère.*

Qu'arrivera-t-il ? *Ils réagiront de la même façon : ils vous souriront à leur tour et seront aimables.*

- Dans toute relation humaine entre deux personnes, il y a une atmosphère, une ambiance, un décor.
- Cela dépend de votre talent à créer l'atmosphère, l'ambiance et le décor. L'autre personne ou vous-même donnerez le ton. Si vous êtes avisé, vous fixerez le ton à votre avantage.
- Un des faits tragiques dans les relations humaines est l'échec de bien des gens à prendre conscience qu'ils récolteront ce qu'ils auront semé.
- Si vous donnez du soleil aux gens, ils vous en donneront en retour. Faites-leur subir une tempête de neige et vous en récolterez une aussi.
- La clé consiste à choisir le bon moment. Le sourire devrait s'épanouir avant même de se mettre à parler. Cette gestuelle ouvre la voie à une atmosphère chaude et amicale.

- Votre ton de voix et l'expression de votre visage sont très importants également, parce qu'ils révèlent vos pensées intérieures.
- N'oubliez pas d'esquisser votre sourire de la même manière que les gens de théâtre et les mannequins, en vous disant simplement :

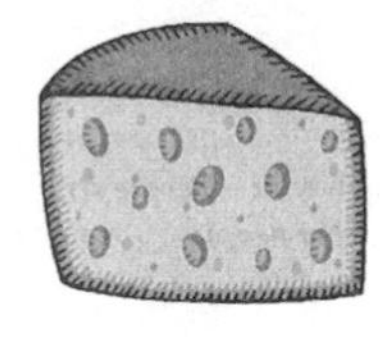

Fromage !

Ça marche !

Chapitre 10

Comment louanger les gens avec finesse

- Les gens ne vivent pas que de pain !
- Ils ont besoin de nourriture pour l'esprit autant que pour le corps. Rappelez-vous ce que vous ressentez quand on vous dit un mot aimable ou que quelqu'un vous fait un compliment. Souvenez-vous à quel point votre journée est plus brillante grâce à ce bon mot ou compliment. Vous rappelez-vous combien de temps cette sensation agréable a perduré ?
- Eh bien, les gens réagiront de la même façon que vous. Alors, dites les mots que les gens aiment entendre. Ils vous seront reconnaissants d'avoir dit de gentilles choses, et vous vous sentirez bien de les avoir dites.

SOYEZ GÉNÉREUX AU CHAPITRE DES ÉLOGES. Recherchez quelqu'un ou quelque chose à louanger, puis faites-le.

Mais :

a) L'éloge doit être sincère.

S'il ne l'est pas, renoncez-y.

b) Louangez le geste, non la personne.

Louanger le geste évite la confusion et l'embarras. Le compliment semble beaucoup plus sincère. Cela prévient le favoritisme, et incite d'autres gens à réagir de la même façon.

Exemple 1 : « Jean, ton travail cette année a réellement été excellent. » (Au lieu de : « Jean, tu es un brave homme. »)

Exemple 2 : « Marie, tes rapports de fin d'année sont très bien faits. » (Au lieu de : « Marie, tu es une bonne employée. »)

Exemple 3 : « Monsieur Lavoie, votre gazon et votre jardin sont absolument admirables. » (Au lieu de : « Monsieur Lavoie, vous travaillez beaucoup. »)

Spécifiez bien l'objet du compliment, mettez-le à l'avant-plan.

FORMULE DE BONHEUR

- Prenez l'habitude de dire un mot gentil, tous les jours, à au moins trois personnes différentes.

Voyez ensuite ce que VOUS ressentez pour avoir agi de la sorte.

- C'est une formule de bonheur pour VOUS.
- Lorsque vous verrez le bonheur, la gratitude et le plaisir que vous apportez aux autres en agissant ainsi, VOUS VOUS sentirez bien. Il y a plus de joie à donner qu'à recevoir.

Essayez-le !

CHAPITRE 11

Comment critiquer les gens avec habileté

La clé de critiques réussies dépend de l'esprit de ces critiques. Si vous critiquez avant tout pour « envoyer promener quelqu'un » ou pour « le mettre à sa place », vous n'y gagnerez rien, à part votre satisfaction à épancher votre mauvaise humeur et à évacuer votre ressentiment pour l'autre ; car personne n'aime être critiqué.

Cependant, si vous êtes intéressé à des mesures correctives, en matière de résultats, vous pouvez accomplir beaucoup grâce à votre critique, si vous vous y prenez de la bonne façon. Voici quelques règles qui vous aideront à le faire correctement.

Sept règles incontournables pour réussir vos critiques :

1. **Les critiques doivent se faire en privé.**
   - Pas de portes ouvertes, ne pas élever la voix, et que personne d'autre n'écoute.

2. **Commencez votre critique par un bon mot ou même un compliment.**
   - Créez une atmosphère amicale, amortissez le choc. (Soyez obligeant avant de les réprimander.)

3. **Rendez la critique impersonnelle. Critiquez le geste et non la personne.**
   - C'est l'acte ou le geste qui devrait être critiqué plutôt que la personne.

4. **Fournissez la réponse.**
   - La réponse signifie la bonne façon de faire. Lorsque vous dites à quelqu'un ce qu'il fait d'incorrect, vous devriez en même temps lui dire comment bien le faire.

5. **Demandez de la coopération, ne l'exigez pas.**
   - C'est un fait que vous aurez plus de coopération des gens si vous la demandez plutôt que de l'exiger.
   - Exiger est une mesure de dernier recours.

6. **Une critique par offense.**
    - La critique la plus justifiée n'est justifiée qu'UNE SEULE FOIS.

7. **Achevez votre critique sur un ton amical.**
    - Terminez sur cette note : « Nous sommes des amis, nous avons réglé nos problèmes, maintenant travaillons ensemble et aidons-nous. » Mais ne finissez pas sur cette note : « Tu t'es fait gronder, maintenant retrousse tes manches. »

C'est la règle la plus importante de toutes les sept.

Chapitre 12

Comment remercier les gens adroitement

Il ne suffit pas de vous sentir reconnaissant et élogieux envers les gens, vous devriez témoigner de cette reconnaissance et de cette gratitude à ceux qui le méritent.

Il en est ainsi parce que les gens, par leur nature humaine, aiment et réagissent positivement à ceux qui font preuve de gratitude et d'appréciation. Ils y répondent en leur en donnant encore davantage.

Si vous êtes reconnaissant envers ces gens et que vous leur mentionnez, ils vous en donneront encore plus, presque toujours, la fois suivante. Si vous n'exprimez pas votre gratitude, bien que vous soyez reconnaissant, il y a de fortes chances qu'il n'y ait pas de prochaine fois, ou que vous finissiez par obtenir moins de gratitude.

Cependant, c'est tout un art de dire : « Merci ! »

1. **Lorsque vous dites « merci », pensez-le vraiment.**
   - Soyez sincère lorsque vous remerciez les gens.
   - Les gens le ressentiront si vous êtes vraiment reconnaissant.
   - Ils le savent aussi quand vous n'êtes pas sincère.
2. **Dites-le clairement et distinctement.**
   - Lorsque vous remerciez les gens, ne marmonnez pas, dites-le clairement, sans hésitation.
   - Dites merci, en étant heureux de le dire.
3. **Regardez la personne que vous remerciez.**
   - Cela signifie tellement plus lorsque vous regardez les gens que vous remerciez.
   - Celui qui vaut la peine d'être remercié mérite également qu'on le regarde.
4. **Remerciez les gens en les nommant.**
   - Nommez les gens que vous remerciez.
   - Il y a toute une différence entre dire : « Merci, Marie » et un simple : « Merci ».

5. **Appliquez-vous à remercier les gens.**
   - Cela signifie de rechercher les occasions de montrer votre appréciation.
   - L'individu moyen remercie pour ce qui est évident. La personne au-dessus de la moyenne remerciera pour ce qui n'est pas si évident.
   - Aussi simples que ces règles puissent paraître, très peu de techniques sont plus importantes dans les relations humaines que cette habileté à remercier les gens convenablement.

Cette façon d'agir vous procurera un atout précieux tout au long de votre vie.

Chapitre 13

Comment faire habilement bonne impression

Dans une large mesure, nous contrôlons l'opinion que les autres ont de nous. Notre conduite dès la première rencontre détermine généralement l'impression que l'on se fera de nous. Sachant cela, il nous incombe de nous conduire de manière à ce que le point de vue des autres à notre égard soit favorable.

Si vous voulez que les gens aient une haute opinion de vous, et vous considèrent avec admiration et respect, vous devez leur donner l'impression que vous le méritez. Votre évaluation personnelle aidera à déterminer cette réputation.

Soyez fier de vous-même, sans être prétentieux, de ce que vous êtes, de ce que vous faites ou concernant votre lieu de travail. Ne vous excusez pas pour votre condition sociale dans la vie ou pour vous-même. Vous êtes ce que vous êtes, alors traitez-vous avec fierté et respect.

Exemple : Il est très important de bien répondre lorsque l'on vous demande ce que vous faites dans la vie. Supposons que vous êtes un agent d'assurance. Laquelle des deux réponses suivantes est énoncée avec le plus de fierté ?

« Je suis tout simplement un autre agent d'assurance. »

Les gens ne peuvent pas être impressionnés par cette réponse, car vous avez répondu de manière à ce qu'ils ne le soient pas.

En employant la formule suivante, vous vous traitez avec fierté et respect.

« Mon ami, j'ai la chance d'être associé à la société d'assurance la plus formidable en Amérique du Nord. »

Vous pouvez facilement imaginer la différence d'opinion que l'autre personne aura de vous si vous employez cette dernière formulation.

D'autres manières de faire bonne impression :

1. **Soyez sincère.**

    - Tenez-vous loin des propos flatteurs, des promesses qui ne peuvent être tenues et des mots vides de sens.

- Ne dites que des choses que vous pensez vraiment.
- Croyez tout ce que vous dites.

2. **Agissez avec enthousiasme.**
    - Vous pouvez acquérir un avantage précieux en ressentant un véritable enthousiasme pour ce que vous faites.
    - L'enthousiasme est contagieux. Vous pourrez convaincre les autres après vous être convaincu vous-même, et pas avant.

3. **Ne soyez pas trop anxieux.**
    - En faisant affaire avec les gens, évitez de paraître trop anxieux.
    - Les gens se poseront des questions et douteront de vous si vous semblez trop anxieux.
    - Les gens auront une forte tendance à hésiter à vous confier une tâche pour laquelle vous semblez trop anxieux à leur goût. Leur instinct fera en sorte qu'ils deviendront méfiants ou qu'ils concluront un marché moins avantageux pour vous.
    - Dissimulez votre anxiété. Soyez un peu acteur.

4. **N'essayez pas de gagner de l'estime en diminuant d'autres personnes.**
    - Tenez-vous-en toujours à vos propres mérites. N'essayez pas de vous faire valoir en faisant mal paraître d'autres personnes.

- Votre véritable progrès dans la vie sera déterminé par vos propres efforts et votre valeur. Vous n'irez pas bien loin si vous passez sur le corps d'autres personnes.
- Ressortez ce qu'il y a de meilleur en vous-même. Tenez-vous-en à vos propres mérites. Lorsque vous diminuez les autres pour vous faire valoir, vous augmentez alors leur valeur et non la vôtre.

5. **Ne bousculez rien, ni personne.**

- Si vous ne pouvez rien dire d'agréable, ne parlez pas.
- Il n'est pas bon de bousculer, mais d'un autre côté ce n'est pas la principale raison de ne pas le faire. La vraie raison est que les coups que vous donnez aux autres agissent comme des « boomerangs », et ils reviennent contre vous.
- Bousculer autrui révèle simplement votre moi intérieur.
- Soyez gentil, soyez calme, ne bousculez rien, ni personne.

Chapitre 14

Comment converser avec habileté

Voici cinq règles qui feront de vous un causeur captivant, si vous les observez. Elles font la différence entre un causeur brillant et un causeur ennuyeux.

1. **Sachez *ce* que vous voulez dire.**
   - Si vous n'êtes pas certain de ce que vous voulez dire, il vaut mieux alors ne rien dire.
   - Parlez avec autorité, avec connaissance, avec confiance. Cela n'est possible que si vous savez de quoi vous voulez parler.
2. **Dites-le, et ensuite asseyez-vous.**
   - Soyez bref, bornez-vous à l'essentiel, puis asseyez-vous.

- Souvenez-vous que personne n'a jamais été critiqué pour n'avoir pas suffisamment parlé, et si on désire vous entendre davantage, on vous le demandera.
- Terminez comme un gagnant.

3. **Regardez votre auditoire lorsque vous parlez.**

- L'importance de cette règle n'est pas exagérée. Si quelqu'un mérite qu'on lui parle, il mérite aussi qu'on le regarde.
- C'est la raison pour laquelle les orateurs qui lisent leur texte n'ont jamais un grand succès.

4. **Parlez de ce qui intéresse l'assistance.**

- Ce n'est pas ce dont vous voulez parler qui est important. C'est ce que l'auditoire veut entendre.
- C'est l'intérêt de l'auditoire qui est d'une suprême importance, et non le vôtre.
- La meilleure manière d'être un orateur gagnant et bien apprécié, c'est de dire aux gens ce qu'ils veulent vraiment entendre.

5. **N'essayez pas de faire un grand discours.**

- N'essayez pas de faire de grandes phrases. Parlez simplement de votre sujet.

- Soyez naturel, soyez vous-même. Voilà dans quel contexte on veut vous entendre.
- Dites seulement ce que vous avez à dire, le plus naturellement possible.

Chapitre 15

Quelques dernières réflexions à votre intention

Les connaissances par elles-mêmes n'ont pas de valeur, c'est l'usage qu'on en fait qui est précieux. Autrement dit, la vie ne vous récompense pas pour ce que vous pouvez faire, mais bien pour ce que vous faites.

Ces connaissances sont votre clé pour une vie meilleure, avec plus d'amis, de succès, et de bonheur. Mettez en œuvre ce savoir pour votre famille et vous-même DÈS MAINTENANT.

J'espère que vous le ferez.

Bonne chance !

Leslie T. Giblin

L'Art de négocier avec les gens

Table des matières

Chapitre 1

Envisagez les relations humaines de façon plus créative

Nous voulons tous deux choses de la vie : le **succès** et le **bonheur.**

Nous sommes tous différents. Votre idée du succès est probablement différente de la mienne. Mais il y a un *grand facteur* avec lequel nous devons tous apprendre à traiter si nous voulons avoir du succès et être heureux. L*es autres personnes* sont l'unique dénominateur commun de tout succès et bonheur.

Diverses études scientifiques ont prouvé que si vous apprenez comment négocier avec les gens, vous aurez parcouru 85 % du chemin qui mène au succès dans n'importe quelle entreprise, peu importe le métier ou la profession, et environ 99 % du chemin vers votre bonheur personnel.

Se contenter de s'entendre avec l'autre n'est pas la réponse. Ce qui compte c'est de négocier avec les gens d'une façon qui nous apportera une *satisfaction personnelle,* et ne pas écraser, en même temps, l'ego d'autres personnes. Les relations humaines sont la science de traiter avec les gens de telle manière que l'ego d'autrui et le nôtre demeurent intacts. Et c'est la seule méthode pour bien s'entendre avec des gens, et qui se solde toujours par un réel succès ou une véritable satisfaction.

La raison pourquoi 90 % des gens échouent dans la vie est attribuable à leur échec à négocier avec succès avec d'autres gens. Regardez autour de vous. Les gens qui réussissent le mieux sont-ils les plus intelligents ou les plus talentueux ? Les gens les plus heureux et qui ont le plus de plaisir dans la vie sont-ils plus brillants que les autres personnes que vous connaissez ? Si vous vous arrêtez et réfléchissez un instant, il y a fort à parier que vous direz que les gens de votre entourage qui ont le plus de succès, et qui profitent le plus de la vie, sont ceux qui savent bien s'y prendre avec les gens.

Vos problèmes de personnalité sont ceux que vous éprouvez avec d'autres gens. De nos jours, des millions de gens sont complexés, gênés, mal à l'aise dans leurs relations sociales. Ils se sentent inférieurs et ne se rendent jamais compte que leur vrai problème en est un de relations humaines. Ils ne semblent jamais saisir que leur échec sur le plan de la personnalité en est un d'apprentissage, sur la façon de négocier avec succès avec les gens.

Il y a presque autant d'individus qui, du moins en surface, ont l'air d'être tout le contraire du genre gêné ou réservé. Ils paraissent pleins d'assurance. Ils sont autoritaires et dominent dans n'importe quelle relation sociale, que ce soit à la maison, au bureau, ou dans une association. Cependant, ils se rendent compte eux aussi qu'il leur manque quelque chose. Ils se demandent pourquoi leurs employés ou leurs familles ne les apprécient pas. Ils se demandent aussi pourquoi les gens ne coopèrent pas plus volontiers, et pourquoi il leur est constamment nécessaire de les rappeler à l'ordre ou de les forcer à obéir.

Mais surtout, ils prennent conscience dans leurs moments les plus lucides que les gens qu'ils sont le plus désireux d'impressionner ne leur accordent jamais vraiment l'approbation et l'acceptation qu'ils désirent ardemment. Ils tentent d'obliger les gens à la coopération, la loyauté et à l'amitié ; ils essaient de les inciter à produire pour eux. Mais la chose qu'ils désirent le plus, ils ne parviennent pas à l'imposer aux gens : ils sont incapables d'inciter les gens à les aimer. Ils n'obtiennent jamais vraiment ce qu'ils veulent, car ils n'ont jamais maîtrisé l'art de négocier avec les gens.

Que nous le voulions ou non, les gens sont là pour rester. Dans notre monde moderne, nous ne pouvons tout simplement pas atteindre le succès ou le bonheur sans tenir compte des autres gens. Le médecin, l'avocat ou le vendeur qui obtient le plus de succès n'est pas nécessairement celui qui est le plus intelligent ou le plus habile dans son domaine. L'épouse et le mari les plus heureux ne sont pas nécessairement les plus attirants. Recherchez une personne qui a réussi dans n'importe quelle entreprise, et vous découvrirez quelqu'un qui a maîtrisé le talent de négocier avec les gens... une personne qui sait bien s'y prendre avec les autres.

Le talent dans les relations humaines est comparable à celui dans n'importe quel autre domaine. Oui, le succès dépend de la compréhension et la maîtrise de principes généraux de base. Vous devez non seulement savoir *quoi* faire, mais *pourquoi* vous le faites.

Quand il s'agit de principes de base, tous les gens sont au même niveau. Toutefois, chaque personne que vous rencontrez est différente. Si vous avez tenté d'apprendre une astuce pour négocier avec succès avec chaque individu distinct que vous avez croisé, vous vous êtes heurté à une tâche sans espoir.

Influencer les gens est un art, pas une astuce ou un truc. Lorsque vous utilisez des trucs d'une manière superficielle et mécanique, vous faites la même démarche que la personne qui sait s'y prendre avec les gens, mais avec votre méthode, ça ne fonctionne pas.

Le but de ce livre est de vous livrer des connaissances basées sur une compréhension de la nature humaine : à savoir pourquoi les gens agissent comme ils le font. Les méthodes présentées dans ce livre ont été expérimentées sur des milliers de personnes qui ont participé à mes séminaires en relations humaines. Elles ne sont pas seulement mes idées de prédilection, selon lesquelles vous *devriez* négocier avec les gens, mais des notions qui ont subi l'épreuve du temps avec succès, à savoir comment vous *devez* absolument négocier avec les gens, si vous voulez bien vous entendre avec eux et obtenir en même temps ce que vous voulez.

Oui, nous désirons tous le succès et le bonheur. L'époque est révolue, si elle a vraiment déjà existé, où vous pouviez atteindre ces buts en forçant les gens à vous donner ce que vous vouliez. Mendier ne vaut pas mieux. Personne n'a de respect, ou le désir d'aider l'individu qui fait constamment des courbettes et se promène littéralement la main tendue, suppliant d'autres gens de l'aimer.

La meilleure façon d'obtenir les choses que vous voulez de la vie est d'acquérir de réelles aptitudes à négocier avec les gens. Continuez votre lecture et vous apprendrez comment y parvenir.

Chapitre 2

Comprendre l'ego humain

Étant donné que l'ego humain est une chose si précieuse pour son détenteur, et que ce dernier ira même jusqu'à pousser les choses à l'extrême pour se défendre contre *ce qu'il perçoit comme des menaces pour son ego*, le mot *égotisme* a une connotation négative.

Examinons l'autre facette du mot égotisme. Si ce terme peut inciter des gens à faire des choses sottes, irrationnelles et destructrices, il peut également les amener à agir noblement et héroïquement.

De toute façon, qu'est-ce que l'égotisme ?

Edward Bok, à la fois éditeur et humanitaire, a dit que ce que le monde appelle l'ego est en fait une « étincelle divine » déposée dans l'homme, et que seuls ceux qui ont « allumé l'étincelle divine en eux » accomplissent de grandes choses.

Quel que soit le nom que vous voulez lui donner : personnalité ou caractère unique... au plus profond du cœur de chacun, *il y a* quelque chose d'important qui *exige* le respect. Chaque être humain a une personnalité individuelle spéciale, et une énergie des plus puissantes, entreposée en chaque personne, et il s'attache à défendre cette chose importante contre tous ses ennemis.

Voilà pourquoi vous ne pouvez pas traiter les gens comme des machines, des numéros ou une foule, et vous en tirer aisément. Chaque effort effectué pour déposséder les humains de cette valeur individuelle a échoué. L'ego est plus puissant que les armées et les camps de prisonniers. Il s'est révélé plus puissant que les seigneurs féodaux qui transformaient en serfs les paysans installés sur leurs terres. Il s'est avéré plus puissant que les armées d'Hitler, et il a préparé le terrain pour notre propre « pays de la liberté » (les États-Unis). Notre Déclaration d'indépendance est vraiment une déclaration de l'indépendance pour *chaque individu.*

Il est également important de noter que notre Déclaration d'indépendance définit la véritable valeur d'un individu comme un cadeau de Dieu. « Nous tenons ces vérités comme évidentes en soi, que tous les hommes... sont dotés par leur Créateur de certains droits inaliénables. »

Ce livre n'en est pas un sur la religion ; mais en dernière analyse, vous ne pouvez pas séparer la religion et les relations humaines. À moins que vous ne croyiez qu'il existe un Créateur qui nous a dotés de droits inaliénables, avec une valeur intrinsèque, vous ne pouvez pas vraiment croire aux gens. Henry Kaiser a dit que vous mettriez en pratique *automatiquement* de bonnes relations humaines si vous vous rappeliez que chaque individu *est* important, car chaque être est un enfant de Dieu.

C'est également la seule base réelle pour l'estime de soi. L'individu qui prend conscience d'être « quelqu'un », non pas à cause de ce qu'il a fait ou de son bon comportement, mais par la grâce de Dieu qui l'a doté d'une valeur intrinsèque, cet être développe une saine estime de soi. Les gens qui ne réalisent pas ce qui précède essaient d'acquérir de l'importance en gagnant de l'argent, en obtenant du pouvoir ou la célébrité par d'autres moyens. Non seulement sont-ils des égotistes selon le sens négatif du mot, mais leur continuelle soif d'estime de soi est ce qui occasionne le plus de problèmes dans le monde d'aujourd'hui.

Quatre réalités de la vie que vous devez imprimer de façon indélébile dans votre esprit :

1. ***Nous sommes tous égotistes, c'est-à-dire égocentriques.***
2. ***Nous sommes plus intéressés par nous-mêmes que par n'importe quoi d'autre.***

3. ***Chaque personne que vous rencontrez veut se sentir importante et représenter quelque chose à vos yeux.***
4. ***Il y a un ardent désir en chacun de nous d'être approuvé par les autres, pour pouvoir gagner ainsi notre propre approbation.***

Nous sommes tous affamés d'ego. Et c'est seulement quand cet ego est du moins partiellement satisfait que nous pouvons nous oublier nous-mêmes ; retirer notre attention de notre personne et l'accorder à autre chose. Seuls les gens qui ont appris à s'aimer eux-mêmes peuvent être généreux et amicaux avec les autres.

Pourquoi des gens sont-ils suffisants et centrés sur eux-mêmes ? Nous avions l'habitude de penser que le problème avec les égotistes était qu'ils avaient une trop haute opinion d'eux-mêmes. Nous croyions que s'ils abandonnaient leur estime de soi démesurée, ils seraient « guéris ». Les anciennes méthodes, que la société avait l'habitude d'utiliser pour lutter contre la suffisance de ces individus, à l'esprit de contradiction et avec lesquels il était difficile de s'entendre, n'ont jamais fonctionné. Elles n'ont servi qu'à rendre ces individus encore plus hostiles, et leur ego encore plus susceptible.

La raison pourquoi ces méthodes n'ont jamais fonctionné est simple. Nous savons maintenant, sans l'ombre d'un doute, que le personnage égotiste et centré sur lui-même ne souffre pas d'une estime de soi trop grande, mais trop faible.

Si vous êtes en bons termes avec vous-même, vous êtes en bons termes avec les autres. Quand un être commence à s'aimer davantage alors il est capable d'aimer mieux les autres. Une fois qu'il surmonte sa douloureuse insatisfaction face à lui-même, il devient moins critique et plus tolérant à l'égard des autres.

La soif de l'ego est aussi universelle et naturelle que l'appétit pour la nourriture. De plus, la soif de l'ego sert le même but que la nourriture pour le corps : l'instinct de conservation. Le corps a besoin de nourriture pour survivre. D'autre part, l'ego ou l'individualité unique de chaque personne a besoin de respect, d'approbation et d'un sentiment d'accomplissement.

Un ego affamé est un ego mesquin. Comparer l'ego à l'estomac contribue grandement à expliquer pourquoi les gens agissent comme ils le font. Un homme qui mange trois bons repas par jour pense très peu à son estomac. Mais, laissez-le devenir vraiment affamé, sans nourriture pendant une journée ou deux, et toute sa personnalité changera. Il devient plus critique ; rien ne lui fait plaisir ; et il parle sèchement aux gens.

Ça ne servira à rien de lui dire que son problème réside dans son estomac et qu'il doit arrêter d'y penser. Il n'y a qu'une seule façon d'apaiser son trouble, et c'est d'accéder à la requête de la nature pour sa survie. La nature a placé un instinct dans chaque créature, selon lequel : « VOUS et vos besoins essentiels viennent en premier. » Il doit manger avant d'être capable d'accorder son attention à quoi que ce soit d'autre.

Il en va de même pour la personne centrée sur elle-même. Dans le cas d'une personnalité saine et en bonne santé, la nature réclame une certaine dose d'acceptation et d'approbation de soi. Il ne sert à rien de réprimander une personne égocentrique et de lui dire d'arrêter de penser à elle-même. Elle ne peut pas détourner son esprit d'elle-même avant que sa soif d'ego ne soit satisfaite. Ce n'est qu'à ce moment qu'elle pourra détourner son attention d'elle-même et la mettre au service d'autres gens ou de n'importe quelle tâche nécessaire.

Lorsque son estime de soi est à un haut niveau, il est facile pour cette personne de s'entendre avec les gens. Elle est de bonne humeur, généreuse, tolérante et disposée à écouter les idées des autres. Après avoir satisfait ses propres besoins principaux, elle est capable de penser aux besoins d'autres personnes. Sa personnalité est alors tellement forte et assurée qu'elle est prête à prendre des risques. Elle peut se permettre d'avoir tort à l'occasion et d'admettre qu'elle a commis une erreur. Elle peut être critiquée et se sentir vexée, et ne pas s'en laisser troubler, car ces choses ne font qu'égratigner son estime de soi, et il lui en reste encore en abondance.

C'est un fait reconnu qu'il est plus facile de négocier avec celui qui commande qu'avec ses subordonnés. On raconte l'histoire de ce soldat de la Première Guerre mondiale qui s'est écrié : « Débarrassez-nous de cet incompétent ! » Il s'est rendu compte, à son grand dépit, que la personne ainsi offensée était le général « Black Jack » Pershing. Quand il a tenté de balbutier une excuse, le général Pershing lui donna une tape dans le dos et dit : « Réjouissez-vous que je ne sois pas un sous-lieutenant. » **Vous devez descendre de votre piédestal pour avoir l'air petit.**

Quand l'estime de soi est à marée basse, les problèmes viennent aisément. Et lorsque cette estime de soi devient suffisamment faible, presque tout peut devenir une menace. Pour une telle personne, un regard critique ou un mot dur peut paraître une calamité. Les âmes sensibles qui soupçonnent un double sens ou perçoivent une remarque désobligeante dans une phrase tout à fait innocente souffrent d'une faible estime de soi. Les vantards, les prétentieux et les petits tyrans ont le même problème.

Afin de traiter les problèmes occasionnés chez les autres par la faible estime de soi, aidez-les à s'aimer mieux. Quand une personne arrogante essaie de vous remettre à votre place, vous pouvez comprendre son comportement en vous rappelant deux choses. Premièrement, elle a besoin désespérément d'augmenter sa propre importance, et elle essaie de le faire en vous rabaissant. Deuxièmement, elle a peur.

Son estime de soi est tellement à marée basse qu'un seul affront de votre part pourrait la briser en éclats. Par ailleurs, bien qu'elle ne soit pas certaine que vous vouliez lui reprocher l'importance qu'elle se donne, *elle ne peut pas se permettre de courir ce risque.* La seule stratégie sûre qu'elle peut employer est de vous réprimer avant que vous ne la voyiez pour ce qu'elle est vraiment.

N'ajoutez pas au problème en essayant de la réprimander. Évitez les sarcasmes, les remarques désobligeantes et toute argumentation. Si vous « gagnez », vous allez seulement faire diminuer davantage sa réserve d'estime de soi, et rendre plus difficile qu'auparavant la possibilité de négocier avec elle. Au lieu de cela, alimentez son ego affamé. Transformez cette lionne en une brebis, et elle cessera de vous gronder d'un ton cassant.

Cette tactique fonctionne avec tout le monde, pas seulement avec les personnalités difficiles. Toute personne est plus agréable, plus compréhensive et plus coopérative si vous nourrissez son ego... pas avec de la flatterie peu sincère, mais grâce à des *compliments authentiques et de véritables éloges.* Considérez les bons aspects chez les gens avec qui vous négociez ; recherchez des points à propos desquels vous pouvez faire leur éloge.

Prenez l'habitude de faire au moins cinq compliments sincères par jour, et voyez comment vos relations avec autrui deviendront plus aisées. Aidez les autres à s'aimer davantage. Et n'essayez pas de le mettre en pratique d'une manière condescendante et supérieure. Si vous le faites, votre prétention de supériorité va seulement éveiller l'hostilité.

La *première loi des relations humaines* est : « Les gens agissent… ou échouent à agir… en grande partie pour parvenir à rehausser leur propre ego. » Lorsque vous essayez de persuader quelqu'un d'agir d'une certaine manière, et que la logique et le raisonnement échouent, essayez d'employer une raison qui rehaussera son ego. Donnez à l'autre une raison personnelle de vous aider.

Il y a un certain temps, j'étais dans une ville où se tenait un congrès national. Des développements d'affaires inattendus exigeaient que j'y passe la nuit. N'ayant pas de réservation, je me rendis à un hôtel où j'étais souvent allé. Me frayant un chemin parmi les gens qui essayaient d'obtenir des chambres à la réception, j'obtins l'attention d'un employé familier.

« Eh bien, Les, s'excusa-t-il, vous auriez dû nous faire savoir que vous veniez. Je ne peux rien faire pour vous dans les circonstances.

— Il semble que nous ayons un problème, ai-je répliqué, mais je sais que si quelqu'un en ville peut trouver une solution, c'est vous. Si vous ne me trouvez pas une chambre, j'y renoncerai et je dormirai dans mon auto.

— Je ne sais pas, me dit-il, mais ne vous éloignez pas pendant les 30 prochaines minutes et je verrai si je peux vous trouver quelque chose. »

Le résultat fut qu'il se rappelât une petite salle de séjour utilisée pour des conférences, et qu'on pouvait aisément transformer en chambre à coucher en y apportant un lit disponible. J'obtins la chambre, il éprouva un sentiment d'accomplissement et revalorisa son ego en nous prouvant à tous deux que : « Si quelqu'un peut le faire, je le peux. »

Aidez les autres à s'aimer mieux et davantage ; veuillez satisfaire leur appétit pour l'estime de soi.

CHAPITRE 3

L'importance de faire en sorte que les gens se sentent importants

Chaque être est un millionnaire au chapitre des relations humaines. La grande tragédie est que trop de gens emmagasinent cette richesse, la distribuent mesquinement au compte-gouttes, ou bien ne réalisent même pas qu'ils la possèdent. Il est en votre pouvoir d'ajouter aux sentiments de valeur personnelle d'autres personnes. Il est en votre pouvoir de faire en sorte que les gens s'aiment mieux eux-mêmes. Il est en votre pouvoir qu'ils se sentent appréciés et acceptés.

La façon la plus rapide d'améliorer vos relations avec les gens est de commencer à distribuer cette richesse que vous possédez. Cela ne vous coûte rien et vous n'avez pas à avoir peur qu'elle ne s'épuise un jour. N'essayez pas de marchander ou de négocier cette richesse des relations humaines. Ne tentez pas de l'utiliser pour soudoyer des gens afin qu'ils vous donnent ce que vous voulez. Distribuez-la sans discrimination. En agissant ainsi, ne vous inquiétez pas, car vous obtiendrez ce que vous voulez des autres.

Ne commettez pas l'erreur de supposer qu'un être n'a pas besoin de se sentir important, pour la simple raison qu'il est célèbre et couronné de succès. La courtoisie, la politesse et les bonnes manières sont toutes basées sur cet appétit universel de représenter une certaine valeur personnelle. La courtoisie et la politesse sont des moyens simples par lesquels nous *reconnaissons* l'importance de l'autre personne. Chacun de nous éprouve le besoin de se sentir important. **Nous avons besoin de sentir que d'autres gens reconnaissent et comprennent notre importance.**

À vrai dire, nous avons besoin que d'autres personnes nous *aident* à nous sentir importants, à confirmer notre sentiment de valeur personnelle. Dans une large mesure, ce que nous ressentons à propos de nous-mêmes est un *reflet* du sentiment que d'autres personnes semblent éprouver à notre égard. Personne ne peut conserver sa dignité et sa valeur si tous les gens qu'il rencontre le traitent comme un être inutile.

Cela explique pourquoi de petites choses, apparemment des gestes de peu d'importance, peuvent avoir de très grandes conséquences dans le domaine des relations humaines. Quelles raisons les gens donnent-ils pour demander un divorce ? « Il se faisait un plaisir de dire à tout le monde à quel point j'étais sotte en ce qui a trait à l'argent. » Ou bien : « Quand elle cuisinait, une dispute éclatait chaque fois qu'elle nourrissait le chat avant de me servir. »

Ce sont de petites choses, mais quand elles se répètent, ça laisse entendre à l'autre personne : « Cela prouve que je ne pense pas que tu es très important. » N'oubliez pas, il suffit d'une seule petite étincelle pour déclencher une explosion. Et les petites choses que vous faites et dites peuvent provoquer une réaction en chaîne.

Vous devez reconnaître l'autre personne. Dans leurs négociations diplomatiques avec d'autres nations, les gouvernements parlent de reconnaître un autre pays ou de lui accorder une reconnaissance officielle. Nous devrions en tirer une leçon dans nos relations « diplomatiques » avec autrui. Les principales causes d'insatisfaction chez des employés sont :

1. **Échouer à vanter le mérite d'un employé pour ses suggestions.**
2. **Échouer à répondre à des plaintes.**
3. **Échouer à encourager.**
4. **Critiquer des employés devant des collègues.**

5. **Échouer à demander aux employés leurs opinions.**
6. **Échouer à informer les employés de leurs progrès.**
7. **Le favoritisme.**

Notez que chaque cause a à voir avec l'échec de reconnaître l'importance de l'employé.

Quatre moyens d'agir pour faire en sorte que les autres se sentent importants :

1. **Considérez que les autres personnes sont importantes.** La première règle et la plus facile à mettre en pratique est simplement de vous convaincre vous-même, une fois pour toutes, que les autres personnes *sont importantes.* Agissez ainsi, et votre attitude fera une bonne impression sur les autres, même quand vous n'essaierez même pas d'y parvenir. De plus, cette attitude enlève le besoin d'employer des astuces ou des trucs, et confère à vos relations humaines des bases sincères. Vous ne pouvez pas faire en sorte que des gens se sentent importants en votre présence si vous croyez dans votre for intérieur qu'ils sont « des moins que rien ». Après tout, qu'est-ce qui est plus important ou intéressant sur terre, que les gens ?
2. **Remarquez les gens.** Avez-vous déjà pensé que vous ne remarquez que des

choses importantes à vos yeux? À vrai dire, vous ne voyez qu'une fraction de ce qui vous entoure. Vous choisissez de prêter attention aux seules choses que vous considérez comme importantes. Cinq personnes déambulant sur la même rue vont probablement remarquer cinq choses différentes, pour la simple raison qu'elles sont intéressées par des choses différentes.

Par conséquent, quand quelqu'un nous remarque, il nous fait tout un compliment! Cela veut dire qu'il reconnaît notre importance et donne une impulsion positive à notre moral. Nous devenons plus amicaux, plus coopératifs, et *en fait nous travaillons plus dur.* N'oubliez pas de tenir compte de chaque personne quand vous animez un groupe.

3. **Ne rivalisez pas avec les gens.** Cela requiert de la discipline étant donné que vous êtes humain, et que vous avez le même besoin de vous sentir important que n'importe qui d'autre. L'élément fondamental est que chacun a besoin de se sentir important, et de ressentir que les autres le reconnaissent. Quand nous traitons avec d'autres personnes, la tentation est toujours présente d'essayer de les convaincre de notre propre importance. Consciemment ou non, nous voulons faire une bonne impression.

Si quelqu'un nous parle d'une grande prouesse qu'il a accomplie, nous pensons tout de suite à quelque chose d'encore plus grand que nous avons accompli. Si une personne nous raconte une bonne histoire, nous pensons immédiatement à une anecdote encore meilleure. Souvent, nous sommes tellement désireux d'impressionner autrui avec notre propre importance, afin de les rapetisser pour paraître plus grands. Il existe une règle très simple qui vous aidera à surmonter ce problème : **Si vous voulez faire une bonne impression sur autrui, la façon la plus efficace est de leur faire savoir que vous êtes impressionné par eux.** Faites-leur savoir qu'ils *vous* impressionnent, et ils vous considéreront comme un des individus les plus intelligents et charmants qu'ils ont rencontrés dans leur vie. Rivalisez avec eux, et ils seront fermement convaincus que vous êtes un fou qui ne sait pas du tout où il va.

4. **Sachez à quel moment corriger les autres.** D'habitude quand nous corrigeons ou contredisons d'autres personnes, ce n'est pas dans le but de régler un véritable problème. C'est habituellement pour accroître notre sentiment d'importance aux dépens des autres.

   Demandez-vous à vous-même : *Est-ce que cela fait une réelle différence qu'ils aient raison ou tort?* N'essayez pas de gagner toutes les petites batailles. Si rien n'est en jeu sauf l'ego de l'autre personne, pourquoi se tracasser? L'impact négatif que vous créez *dépasse* largement la petite victoire remportée par votre propre ego.

Chapitre 4

Contrôlez les actions et les attitudes des autres

Rappelez-vous Svengali[1], l'hypnotiseur, qui contrôlait les actions et le comportement des gens grâce à un mystérieux pouvoir.

Cela peut vous surprendre que chacun de nous, à sa façon, ressemble à Svengali. Nous ne sommes pas des hypnotiseurs, mais nous exerçons un certain contrôle sur les gens. Le seul problème est que nous ne savons pas que nous exerçons ce pouvoir, et nous l'utilisons souvent contre nous-mêmes plutôt que pour nous-mêmes. Chacun de nous influence et

1. Svengali est un personnage de fiction du roman *Trilby* de George du Maurier, paru en 1894. Hypnotiseur, Svengali incarne l'archétype du personnage maléfique manipulateur, capable d'amener les gens à faire ce qu'il désire.

contrôle constamment les actions et les attitudes de ceux avec qui nous sommes en contact. Le choix que nous avons est le suivant : devons-nous employer ce pouvoir pour le bien ou le mal ; à notre avantage ou à notre désavantage ?

Cela vous surprendra peut-être d'apprendre que dans plusieurs cas où on s'est montré impoli envers vous, ou que quelqu'un a agi déraisonnablement à votre égard, vous aviez peut-être demandé inconsciemment d'être traité ainsi. **Vous devez adopter l'attitude que vous voulez que les autres expriment.** Les gens réagissent et répondent de la même manière, conformément à l'attitude et aux gestes exprimés par d'autres. Vous obtenez de formidables résultats quand vous commencez à mettre cette théorie en pratique. Tous veulent faire la chose appropriée. Nous jouons nos rôles dans la vie selon la scène et le décor qui nous sont destinés. Nous ressentons une forte envie inconsciente d'être à la hauteur des opinions que d'autres semblent avoir de nous, ou de les faire oublier.

En traitant avec d'autres personnes, nous voyons le reflet de notre propre attitude dans leur comportement. C'est comme si nous nous tenions devant un miroir. Quand nous sourions, la personne dans le miroir sourit ; lorsque nous fronçons les sourcils, elle les fronce aussi ; et quand nous crions, elle crie. Sachant cela, vous pouvez contrôler les émotions d'autrui à un niveau étonnant. Lorsque vous vous retrouvez dans une situation explosive, il peut sembler vraisemblable qu'elle devienne incontrôlable, abaissez le ton de votre voix et parlez doucement. Cela forcera littéralement les autres personnes à ne pas augmenter le volume de leurs voix. Elles ne peuvent pas se fâcher ou devenir émotives tant et aussi longtemps qu'elles garderont un ton doux. Si vous vous attendez que l'autre personne se fâche, ça n'arrivera pas. Mais vous pouvez éviter que le ton monte en utilisant cette technique.

L'enthousiasme s'attrape. L'enthousiasme s'attrape plus facilement qu'un rhume; et il en est de même pour l'indifférence et le manque d'enthousiasme. *Vous ne pouvez jamais vendre quelque chose à qui que ce soit avant de l'avoir vendu à vous-même.*

La confiance engendre la confiance. De même que vous pouvez rendre les autres enthousiastes grâce à votre enthousiasme, vous pouvez donner confiance aux gens si vous agissez avec assurance. Il est triste, mais vrai d'affirmer que plusieurs personnes dotées de capacités médiocres obtiennent davantage de la vie que d'autres possédant des talents exceptionnels, parce qu'elles savent comment agir en toute confiance.

Tous les grands leaders le savent. Par exemple, Napoléon se rendit bravement à la rencontre de l'Armée française alors qu'elle venait l'arrêter après son premier exil. En agissant ainsi, avec une suprême assurance, alors qu'il s'attendait à ce que l'armée lui enlève le commandement, les soldats marchèrent unanimement derrière lui.

John D. Rockefeller employa la même technique. Quand un créancier suggéra qu'il aimerait que sa facture soit payée, Rockefeller se saisit de son carnet de chèques et dit avec fierté : « Que préférez-vous, être payé en argent comptant ou en actions de Standard Oil ? » Il semblait si calme et sûr de lui que presque tous les créanciers optèrent pour les actions, et personne ne le regretta jamais. *Si vous croyez en vous-même et agissez comme tel, d'autres croiront en vous.*

Ajoutez du magnétisme à votre personnalité. La confiance se manifeste par des moyens subtils. Bien que nous n'ayons jamais analysé pourquoi nous avons confiance en une certaine personne, inconsciemment, nous jugeons les autres par ces petits signes ou de simples indications.

1. **Surveillez votre démarche ; vos actions physiques expriment votre attitude mentale.** Si vous voyez quelqu'un marcher avec les épaules tombantes, vous pensez que son fardeau est trop lourd à porter. Il semble transporter le poids si accablant du découragement et du désespoir. Si quelque chose alourdit l'esprit d'un être, cela alourdit invariablement son corps, et le démoralise. Si vous apercevez quelqu'un marchant la tête et les yeux vers le sol, vous voyez alors une âme pessimiste. Une

personne timide marche d'un pas hésitant, mal assuré, comme si elle avait peur de se laisser aller. Une personne confiante marche avec vigueur. Elle redresse les épaules et ses yeux regardent droit devant vers un objectif qu'elle est certaine de pouvoir atteindre.

2. **Votre poignée de main en dit bien plus long que ce que vous imaginez au sujet de ce que vous ressentez à propos de vous-même.** Une personne à la poignée de main molle et moite a une faible confiance en elle-même. Celle qui vous broie littéralement la main a tendance à compenser un manque d'estime de soi. Une poignée de main solide avec un léger serrement signifie : « J'ai une prise ferme sur les choses », et dénote de la confiance en soi.

3. **Modérez votre ton de voix.** Nous nous exprimons nous-mêmes grâce à nos voix, bien plus que de n'importe quelle autre manière. La voix est le moyen de communication le plus développé. Votre voix communique davantage que des idées ; elle révèle également vos sentiments au sujet de vous-même. Écoutez votre voix. Exprime-t-elle le désespoir ou le courage ? Avez-vous pris l'habitude de vous plaindre ? Parlez-vous avec assurance ou bien marmonnez-vous ?

4. **Utilisez l'interrupteur magique que représente le sourire.** Un sourire véritable

et sincère transmet un sentiment amical à autrui. N'essayez pas de sourire par une simple expression faciale, mais souriez de l'intérieur. Tout le monde peut esquisser un vrai sourire ; il s'agit simplement de le laisser jaillir. Si vous n'utilisez pas votre sourire, vous êtes comme cette personne qui possède un million de dollars à la banque, mais pas de carnet de chèques.

La seule façon pour les gens de s'améliorer est de suivre le conseil de Winston Churchill : « J'ai découvert que la meilleure façon de faire *acquérir* une vertu à quelqu'un est de lui *attribuer.* » Faites savoir aux gens que vous pensez qu'on *peut* leur faire confiance, et ils seront dignes de confiance. Les gens qui essaient d'en obliger d'autres à s'améliorer, en les humiliant, en les menaçant ou en leur recommandant instamment ce qu'ils *devraient* faire, réussissent rarement.

Et souvent ils contribuent à empirer les choses. Personne n'est totalement bon ou mauvais ; nous avons tous différents aspects à nos personnalités. L'aspect que nous présentons est celui que d'autres font ressortir de nous. Servez-vous de la communication et de la psychologie pour faire ressortir un aspect bienveillant et généreux chez les autres.

Commencez dès aujourd'hui à développer une attitude et un style enthousiastes et confiants. Exprimez-vous. Surveillez votre posture. Gardez la tête haute. Marchez d'un pas confiant comme si vous vous dirigiez vers un endroit important.

CHAPITRE 5

Créez une bonne impression

Notre manière d'aborder les autres – nos premiers mots et actions – donne presque toujours le ton à toute rencontre. Vous pouvez contrôler les actions et les attitudes d'autres personnes dans une large mesure, si vous n'oubliez pas de commencer une conversation sur la même remarque avec laquelle vous voulez y mettre fin.

Si vous discutez d'affaires, commencez sur le ton des affaires. Si vous souhaitez une rencontre sans cérémonie, commencez de façon décontractée. D'autres agiront de même. Ils joueront leurs rôles selon la mise en scène que *vous* créez. Chaque fois que vous traitez avec d'autres personnes, vous faites une mise en scène.

Si vous en faites une pour de la comédie, ne soyez pas sérieux. Si vous en faites une pour une tragédie, ne vous attendez pas à ce que les gens soient frivoles. « Ça ne s'est pas bien passé », disons-nous d'une réunion ou d'une entrevue qui ne s'est pas déroulée, comme nous l'aurions voulu. Presque toujours, quand cela se produit, la raison est que nous avons terminé sur une mauvaise note.

Avant de participer à n'importe quelle discussion, demandez-vous : *Qu'est-ce que je veux vraiment obtenir de ce débat ? Quelle ambiance devrait prévaloir ?* Créez ensuite le ton qui va établir la scène elle-même. Nous pouvons contrôler les actions et les attitudes d'autres personnes en nous rappelant que la première impression que nous donnons a tendance à être durable.

Vous êtes plus responsable que n'importe qui de la perception que l'on a de vous. Plusieurs s'inquiètent de ce que les autres vont penser d'eux. **Le monde forme son opinion à propos de nous en grande partie d'après celle que nous avons de nous-même.** Si vous n'êtes pas accepté autant que vous le voudriez, vous devriez peut-être vous blâmer vous-même. Agissez comme si vous étiez un « moins que rien » et le monde vous prendra au pied de la lettre. Agissez comme si vous étiez quelqu'un et le monde n'aura pas le choix de vous traiter comme tel.

Ne portez pas un déguisement. Inconsciemment, nous sommes tous plus intelligents que nous le réalisons. Notre esprit conscient n'est peut-être pas suffisamment habile pour analyser et voir à travers les déguisements que les gens portent, mais notre inconscient l'est. Et notre inconscient nous dit que la personne qui joue un rôle n'a pas vraiment une haute opinion d'elle-même. Combien de gens produisent une impression médiocre, car vous êtes jugés *non seulement* sur la valeur que vous vous attribuez, mais également sur la valeur que vous allouez à d'autres choses : votre emploi, vos opinions et la concurrence. La Bible dit : « Ne jugez pas pour ne pas être jugé vous-même. » Voilà une bonne leçon pour les relations humaines. **Chaque fois que nous jugeons quelque chose, nous donnons à d'autres une indication pour nous juger.**

Quelle valeur accordez-vous à votre emploi, à votre entreprise ? Quand quelqu'un vous demande où vous travaillez, répondez-vous presque en vous excusant : « Oh, je travaille à la banque du Peuple », comme si vous aviez honte de cette réalité. Ou dites-vous fièrement : « Je travaille à la meilleure banque de cette région du pays. » Les gens auront une meilleure opinion de vous si vous leur fournissez la seconde réponse. Si vous donnez l'impression que votre employeur, ou qui que ce soit, selon vous, représente peu, les gens penseront que vous ne représentez sûrement pas davantage.

Ne dénigrez pas la concurrence. Ne dénigrez jamais les autres ou leurs produits si vous voulez faire une bonne impression. Au lieu de cela, vantez votre propre produit. Non seulement les gens n'aiment pas les propos négatifs, mais vous dressez ainsi un portrait négatif de votre produit. Si vous êtes un vendeur, vous venez de créer une atmosphère négative, et vous aurez de la difficulté à faire dire OUI à un client potentiel. Placez les gens dans l'ambiance du OUI, en créant une atmosphère affirmative et positive. Une excellente règle consiste à faire en sorte que les gens disent OUI à des questions préliminaires : « N'est-ce pas une merveilleuse couleur ? » Ou bien : « N'êtes-vous pas d'accord que cette fabrication est vraiment soignée ? » Quand quelqu'un aura répondu OUI à vos questions préliminaires, il lui sera plus facile de dire OUI à votre grande question.

Mais les questions avec un OUI pour réponses peuvent parfois être négatives : « La chaleur n'est-elle pas terrible aujourd'hui ? » Ou bien : « Le monde est assurément en plein désordre » met en scène une ambiance négative avec un OUI comme réponse. Les gens pessimistes et sombres sont habituellement hésitants et méfiants. Les gens optimistes et souriants achètent des produits et des idées. Ils sont plus généreux, mieux disposés à s'ouvrir et à prendre des risques.

Ne posez pas de questions et n'émettez pas de directives qui sous-entendent que vous vous attendez à un problème. **Posez des questions qui suggèrent en soi la réponse :** « Je crois que vous aimez cela, n'est-ce pas ? » Au lieu de : « Aimez-vous cela ? » *Faites un signe de tête affirmatif* quand vous posez des questions. Vos actions influencent définitivement les gestes et les opinions de l'autre personne.

Supposez calmement que d'autres gens vont faire ce que vous voulez. Que votre entrée en matière bien sentie s'adresse à tout un chacun. N'essayez pas trop d'impressionner; faites savoir aux gens qu'ils font une bonne impression.

Chapitre 6

Développez une personnalité attirante

Quel est le secret d'une personnalité attirante ?

Nous connaissons tous des gens qui semblent attirer naturellement des amis et des clients. Ces personnes savent comment alimenter les trois besoins élémentaires de tous :

1. **Acceptation.** Il est essentiel que vous acceptiez les gens comme ils sont ; permettez-leur d'être eux-mêmes. N'insistez pas pour que quiconque soit parfait ou change son attitude, avant que vous ne puissiez l'aimer. Ne confectionnez pas une camisole de force morale, en vous attendant à ce que les gens la portent, dans le but d'obtenir votre

acceptation. Une personne qui critique constamment, qui voit toujours les failles chez les autres, ne sera jamais approuvée par ceux qui espèrent devenir des amis intimes.

Ceux qui acceptent les gens, les aiment, et les apprécient tels qu'ils sont, ceux-là ont une grande influence afin de changer pour le mieux leur comportement. Personne n'a le pouvoir d'améliorer quelqu'un d'autre. Mais en aimant les autres tels qu'ils sont, vous leur donnez le pouvoir de se changer eux-mêmes.

2. **Approbation.** Cela va plus loin que l'acceptation qui, par comparaison, est d'une certaine façon négative. Nous acceptons les autres malgré leurs défauts, et nous leur accordons quand même notre amitié. L'approbation signifie quelque chose de plus positif, car elle va au-delà du fait de tolérer seulement des fautes, et de trouver des éléments que nous pouvons aimer. Vous pouvez toujours approuver quelque chose chez d'autres personnes.

   Ce peut être un petit élément, presque insignifiant, mais faites savoir à d'autres gens que vous l'approuvez, et le nombre des choses que vous approuvez vraiment augmentera. Quand d'autres personnes goûteront à votre approbation, elles commenceront à changer leur comportement pour obtenir une approbation pour d'autres choses. Cherchez de votre mieux ; louangez les gens et voyez-les rayonner !

3. **Appréciation.** Le mot *apprécier* signifie augmenter en *valeur*. Arrêtez-vous et considérez à quel point les autres sont précieux à vos yeux : votre épouse, votre mari, vos enfants, votre patron, vos employés, vos clients. Faites ressortir leur valeur dans votre esprit. Envisagez ensuite un moyen de faire savoir à d'autres gens que vous leur accordez une grande valeur. Voici quelques façons de leur montrer votre appréciation :

   - **Ne faites pas attendre les gens.**
   - **Si vous ne pouvez pas voir quelqu'un immédiatement, faites-lui savoir que vous êtes présent. Transmettez le message que vous serez en sa présence aussitôt que possible.**
   - **Remerciez les gens.**
   - **Traitez les gens comme s'ils étaient « des êtres spéciaux ».**

Le dernier point mérite un commentaire additionnel. Rien ne rabaisse plus l'ego de quelqu'un que de recevoir un traitement qui n'a rien de particulier. Nous voulons tous être reconnus pour notre propre valeur unique. En dernier lieu, tirez une leçon des fleurs : vu qu'elles ont besoin des abeilles pour la pollinisation, elles libèrent quelques gouttes de nectar pour attirer et nourrir les abeilles. Une personne à la personnalité attachante offre de ce fait un aliment pour nourrir les appétits élémentaires des gens.

Commencez à utiliser la formule triple A pour attirer les gens.

CHAPITRE 7

Apprenez à communiquer efficacement

Une chose que les gens couronnés de succès ont en commun est *leur aptitude à se servir des mots.* Acquérir du pouvoir et devenir habile avec les mots sont des phénomènes tellement liés ensemble que vous pouvez vous attendre à coup sûr à augmenter votre revenu potentiel en accroissant simplement votre pouvoir des mots.

Le bonheur dépend aussi dans une large mesure de notre habileté à exprimer des idées, des désirs, des espoirs ou des déceptions. Bien des gens sont malheureux parce qu'ils sont incapables de s'exprimer, et leurs idées, leurs émotions demeurent enfermées à l'intérieur d'eux-mêmes. Bien des gens sont désavantagés, car ils ne savent pas comment entamer une conversation, particulièrement avec un étranger. Ils ont une source d'idées intéressantes à exploiter, mais ne savent pas comment en ouvrir le robinet.

William James a mis le doigt sur le problème quand il a expliqué la raison pour laquelle tant de gens éprouvent de la difficulté à être de bons causeurs : « Ils ont peur, soit de dire quelque chose de trop banal ou évident ; ou quelque chose de peu sincère ; ou bien, d'une façon ou d'une autre, de dire quelque chose d'inapproprié à la situation. »

Cessez d'essayer d'être parfait. Personne ne peut fasciner les autres constamment.

Les banalités ne brillent pas dans une conversation. Chaque être utilise des lieux communs ; chaque être s'engage dans des conversations banales qui ne révèlent rien de significatif ou de bien malin. Les banalités sont nécessaires au déroulement d'une conversation. En prenant conscience de cela et en n'ayant pas peur d'être ennuyeux, vous serez capable d'entamer une conversation même avec un parfait étranger. Vous serez peut-être surpris de découvrir que vous dites des choses intéressantes et intelligentes, parce que vous n'essayez pas d'y parvenir à tout prix.

« Réchauffez » votre sujet. Commencer une conversation suppose une période de réchauffement. Ne vous attendez pas à être excellent dès le début. Les menus propos ou banalités peuvent non seulement amorcer une conversation, mais ils peuvent être utilisés pour amener d'autres sujets.

Faites en sorte que les gens parlent d'eux-mêmes. La prochaine fois qu'on vous présentera quelqu'un, et que vous ne saurez absolument pas quoi dire, essayez d'intéresser cette personne par ce genre de questions : « D'où venez-vous ? Que pensez-vous de nos saisons ? Avez-vous une famille ? Dans quel domaine travaillez-vous ? » Ces questions incitent les gens à parler d'eux-mêmes et sont aussi des entrées en matière infaillibles.

Elles brisent la glace et démontrent que vous êtes intéressé par ces gens. Vous n'avez pas à chercher un sujet d'intérêt mutuel ; vous les orientez sur un sujet dont ils sont les experts... c'est-à-dire *eux-mêmes.*

L'art d'être un bon causeur ne consiste pas nécessairement à imaginer un tas de choses intelligentes à dire, ou à raconter des expériences héroïques, mais à encourager les gens à s'ouvrir et à parler. *Si vous pouvez stimuler les autres à parler, vous acquerrez une réputation de bon causeur.* Si vous parvenez à faire parler les gens en les mettant à l'aise, ce sera la situation idéale pour qu'ils s'ouvrent à vous et à vos idées.

Posez des questions qui intéresseront les gens. Gardez la conversation axée sur les champs d'intérêt de l'autre personne en posant les questions suivantes : Pourquoi ? Où ? Comment ?

Si quelqu'un vous dit : « J'ai une petite propriété de 25 acres chez moi dans l'Indiana », ne dites pas précipitamment : « Eh bien, je possède 500 acres au Texas. » Au lieu de cela, demandez : « À quel endroit dans l'Indiana ? Depuis combien de temps possédez-vous cette propriété ? » Cette question et d'autres semblables vous attireront la réputation d'être une des personnes les plus intéressantes que votre compagnon aura rencontrées dans sa vie.

Il existe un « péché mortel » dans les relations humaines que vous devez éviter. Les humains sont foncièrement égoïstes. Ils sont d'abord, ensuite et toujours intéressés par *eux-mêmes.* Montrez que vous êtes intéressé par les autres et ils vont ultérieurement s'intéresser à vous.

Ne faites pas comme cet auteur dramatique qui, après avoir parlé de son œuvre pendant plus de deux heures, se tourna vers son compagnon et dit : « On a assez parlé de moi. Parlons de vous. Que pensez-*vous* de mes pièces ? »

Vous êtes humain, vous aussi, et il est naturel d'être tenté de parler de vous-même. Vous voulez briller. Vous voulez impressionner les autres. Par ailleurs, vous serez estimé bien davantage si vous orientez la conversation vers l'autre personne plutôt que vers vous-même. Les gens auront une bien meilleure opinion de vous.

Demandez-vous à vous-même : *Qu'est-ce que je veux obtenir de cette situation ?* Voulez-vous rehausser votre propre ego ? Ou cherchez-vous l'approbation de l'autre personne, de son entreprise, sa permission, ou sa bonne volonté ? Si vous ne voulez qu'augmenter votre propre ego, alors parlez de vous-même exclusivement; mais ne vous attendez pas à obtenir quoi que ce soit d'autre de cette conversation.

Les conférenciers parlent d'eux-mêmes, mais ces gens-là sont *invités* à le faire, et leur auditoire n'est pas captif, il est présent de son plein gré. À moins que vous n'ayez loué une salle et annoncé l'événement à l'avance, vos auditeurs ne pourraient pas savoir qu'ils seront tenus captifs de vos exploits.

Parlez de vous-même quand on vous le demande et vous invite à le faire. Si des gens souhaitent vous entendre, ils vous le demanderont. Parlez alors un peu de vous-même, mais n'en faites pas trop. Répondez aux questions et tournez ensuite le projecteur vers eux. Employez la technique « moi aussi ». Il est également correct de vous ramener vous-même dans la conversation à une autre occasion : lorsque vous pouvez confier à l'autre personne un événement à propos de vous, qui a un rapport étroit avec ce qu'elle a dit précédemment, et qui crée un lien entre vous deux.

Si quelqu'un dit : « J'ai grandi sur une ferme » et vous répliquez : « Moi aussi », et que vous racontez ensuite une petite anecdote à propos de vos expériences, l'autre se sentira plus important. Il est flatteur pour l'autre personne que vous vous intégriez vous-même dans la conversation d'une manière qui crée un lien. En agissant ainsi, vous sous-entendez : « Je suis d'accord avec vous. J'aime ça aussi. Je crois à cela, moi aussi. »

Tout ce qui, dans votre passé, est semblable à ce que d'autres ont vécu les aidera à vous apprécier. Nous aimons les gens en accord avec nous, et nous n'aimons pas ceux qui sont en désaccord. Ces derniers représentent une menace potentielle pour notre estime de soi. Lorsque vous êtes d'accord, vous aidez l'autre personne à s'aimer elle-même.

Même s'il y a des points sur lesquels vous ne pouvez pas être d'accord, recherchez toujours des aspects sur lesquels vous pouvez être d'accord. Quand vous aurez établi un certain terrain d'entente, même minime, sur lequel vous pouvez être d'accord, il sera beaucoup plus facile de vous comprendre sur les sujets où vous êtes en désaccord.

Employez un discours positif. Une personne qui prend l'habitude de parler avec pessimisme ou de raconter constamment ses problèmes personnels ne gagnera jamais un concours de popularité. Si vous avez des problèmes personnels, allez rencontrer votre guide spirituel, un conseiller ou un ami en qui vous avez confiance. N'exprimez pas vos problèmes en public. Ne racontez pas en long et en large vos maladies et vos opérations. Décrire vos souffrances ne fait pas de vous un héros, cela fait de vous un véritable casse-pieds.

Assoyez-vous et écrivez-vous une lettre. Si vous avez quelque chose sur le cœur dont vous avez besoin de vous libérer, essayez de vous écrire une lettre. Écrivez exactement ce que vous ressentez ; ne vous retenez pas. Entrez dans les détails concernant le tort qu'on vous a fait, et à quel point la vie est injuste. Quand vous aurez tout écrit ce que vous ressentez, brûlez ensuite la lettre.

Elle a servi son objectif en vous donnant un exutoire, et vous devriez éprouver un soulagement. Cela évacuera vos émotions, et calmera votre besoin impérieux de vous épancher auprès de quelqu'un. Parfois, il vous sera peut-être nécessaire de répéter ce processus à quelques reprises. Mais, après cela, vous découvrirez que vous ne voulez vraiment plus y penser, et encore moins en parler.

Surmontez la tentation de taquiner ou d'être sarcastique. La plupart d'entre nous taquinent les autres, car nous pensons qu'ils aimeront cela. Les maris taquinent leurs épouses, et vice et versa, en public, à partir de la notion erronée selon laquelle c'est un moyen gentil de témoigner son affection. Nous faisons des remarques sarcastiques en espérant que d'autres y reconnaîtront notre intelligence, notre sens de l'humour, et n'y verront pas un affront personnel.

La taquinerie et les remarques sarcastiques visent l'estime de soi des gens. Par ailleurs, tout ce qui menace l'estime de soi est une entreprise périlleuse, même quand elle est faite pour déclencher un rire. Si l'autre personne vous connaît depuis suffisamment longtemps, vous affectionne réellement, et que vous n'exagérez pas outre mesure, vous vous en tirerez peut-être à bon compte avec votre taquinerie. Mais, les chances sont vraiment contre vous, et il serait plus sage, de votre part, de ne pas essayer de taquiner quelqu'un d'autre.

Commencez dès aujourd'hui à utiliser ces méthodes pour améliorer vos capacités de communication. Exercez-vous sur des étrangers. Faites-le, jour après jour, jusqu'à ce que ça devienne une habitude.

Chapitre 8

Écoutez

Oliver Wendell Holmes a écrit : « Être capable d'écouter l'autre d'une manière compatissante et compréhensive est peut-être le mécanisme le plus efficace au monde pour s'entendre avec les gens et gagner leur amitié pour de bon. »

Vous rencontrez quelqu'un et au moment de vous quitter, vous sentez que les choses ne se sont pas déroulées aussi bien que vous l'auriez voulu. *Qu'est-ce que j'aurais dû lui dire pour qu'il soit plus amical, plus disposé à entendre mes idées ?* Étonnamment, la réponse est peut-être « rien ». La rencontre ne s'est pas bien passée, non pas à cause de ce que vous avez dit ou n'avez pas dit, mais parce que vous n'avez pas *écouté* de la bonne façon.

Écouter vous rend plus intelligent. La plupart d'entre nous veulent que les autres pensent que nous sommes astucieux et intelligents. La meilleure façon d'en convaincre les gens est d'écouter et de prêter attention à ce qu'ils ont à dire. Si vous accordez suffisamment d'importance à ce qu'ils disent et les écoutez attentivement, cela les convainc que vous êtes une personne très intelligente.

Pensez un instant à vos amis et à vos connaissances. Qui donc a la réputation d'être sage et intelligent ? Est-ce la personne toujours prête, avec la réponse sur les lèvres, avant même qu'elle n'entende la question ? Est-ce la personne qui interrompt pour faire un commentaire avant que l'autre ait fini de parler ? Ou bien est-ce la personne qui écoute attentivement ?

Les gens vous diront vraiment ce qu'ils veulent, si vous écoutez. On ne peut pas atteindre une cible dans le noir. Les fabricants d'automobiles prennent le pouls de ce que le public désire avant de concevoir leurs modèles. Et vous devez réagir comme il se doit à la balle qu'on vous lance. Il faut constamment donner les réponses appropriées. Les bonnes relations humaines sont une communication dans les deux sens : donner et prendre ; action et réaction. Si vous ne savez pas ce que les autres veulent, ou comment ils se sentent dans une situation donnée, ou quels sont leurs besoins particuliers, c'est que vous avez perdu le contact avec eux. Et si vous avez perdu ce lien, vous ne pouvez pas les émouvoir.

Trop parler révèle vos intentions. Il y a parfois des situations quand nous négocions avec des gens où il est important de ne pas dévoiler notre jeu prématurément, et où nous devons sentir où se positionnent les autres. La stratégie à utiliser est de découvrir d'abord ce que les autres savent ; ce qu'ils sont prêts à parier avant de montrer votre jeu. De même que nous pouvons déterminer la position d'une autre personne en l'écoutant, trop parler, de votre part, révèle votre position et vos intentions.

Les gens qui ont du succès encouragent les autres à parler et à continuer de parler tandis qu'ils gardent le silence. Si vous pouvez faire en sorte que des gens parlent *suffisamment*, ils deviennent alors incapables de dissimuler leurs vrais sentiments ou leurs motifs. Ils vont peut-être essayer, mais invariablement ils vont trop parler. Par conséquent, si vous ne voulez pas que d'autres personnes sachent ce que vous avez vraiment à l'esprit, gardez votre bouche fermée, et écoutez. Il y a des gens qui vous prendront en défaut si vous continuez de parler suffisamment longtemps.

Écouter aide à surmonter l'embarras. Écouter attentivement ce que d'autres ont à dire – prêtant une grande attention à leurs mots et aux inflexions de leur voix – détourne votre attention de votre propre personne. Si toute votre attention se concentre sur les autres, sur ce qu'ils disent, ce qu'ils veulent, ce dont ils ont besoin, vous ne pourrez pas être embarrassé et, par conséquent, vous isoler.

Quand vous vous isolez, vous ne pouvez pas traiter efficacement avec des gens. Et, si votre centre d'attention est vous-même, vous ne pouvez pas négocier avec le monde autour de vous. Il n'est pas mauvais d'avoir une haute opinion de vous-même, mais il est déconseillé de garder toute votre attention sur vous-même.

N'essayez pas trop fort. William James disait que la raison pour laquelle la plupart des conversations sont ternes, c'est que les gens ne se détendent pas, et par conséquent ils augmentent leurs chances de dire des choses qui ne sont pas réellement appropriées.

Vous devez savoir ce que les gens veulent, quels sont leurs besoins et qui ils sont, afin de négocier efficacement avec eux. Vous devez écouter attentivement, avec bienveillance et patience. L'un des plus beaux compliments que vous pouvez faire est d'écouter avec empathie une personne. Vous augmentez alors son estime de soi, car chacun aime croire qu'il a quelque chose à dire qui en vaut la peine. Une des choses les plus frustrantes que vous pouvez faire à l'ego de quelqu'un est d'envoyer promener cet individu avant même d'entendre ce qu'il a à dire. Les gens aiment qu'on leur prête attention.

Pratiquez l'art de l'écoute

1. **Regardez la personne qui parle.** Les gens qui valent la peine d'être écoutés méritent qu'on les regarde. Et cela vous aidera également à vous concentrer sur ce qu'ils ont à dire.

2. **Ayez l'air profondément intéressé.** Si vous êtes d'accord, faites oui de la tête. S'ils racontent une histoire, souriez. Réagissez au bon moment.

3. **Penchez-vous vers la personne.** Avez-vous déjà remarqué que vous avez tendance à vous pencher vers un causeur intéressant et à vous détourner de celui qui est ennuyeux?

4. **Posez des questions.** Cela fait savoir aux gens que vous continuez d'écouter.

5. **N'interrompez pas.** Au lieu de cela, demandez-en davantage. Les conférenciers se sentent très appréciés lorsque vous les laissez terminer sans les interrompre. Mais, ils sont vraiment flattés quand vous leur faites une telle demande: «Verriez-vous une objection à préciser ce dernier point?

6. **Tenez-vous-en au sujet du conférencier.** Ne changez pas de sujet, quel que soit votre ardent désir d'entendre parler d'un thème en particulier.

7. **Utilisez les mêmes mots que le conférencier pour faire comprendre votre idée.** Répétez quelques-uns des points traités. Cela prouve non seulement que vous écoutez, mais ça vous permet de présenter vos propres idées sans opposition. Faites précéder vos propres remarques de: «Comme vous l'avez souligné...»

Chapitre 9

Faites en sorte que les gens soient d'accord

Chaque jour, une situation survient où nous avons besoin de persuader une autre personne d'accepter notre point de vue. Un certain désaccord se produit avec notre compagne, nos enfants, notre patron, un employé, un client, un voisin, un ami ou un adversaire. La réaction naturelle est d'argumenter. *Nous devons apprendre à faire en sorte que notre réaction naturelle s'appelle* ***persuasion.***

Quand quelqu'un s'oppose à nos idées, nous considérons cela comme une menace pour notre ego. Nous devenons émotifs et hostiles et nous essayons d'enfoncer nos idées dans la gorge de notre contradicteur. Nous exagérons nos propres arguments et nous ridiculisons les positions de notre opposant. On ne gagne pas de cette façon.

La seule façon de remporter un débat est de faire en sorte que l'autre change sa façon de penser. Il existe des moyens pour amener des gens à voir les choses de votre façon.

Une faible pression est le secret. Tout cela revient au thème de ce livre : si vous voulez avoir du pouvoir avec les gens, vous devez apprendre à travailler avec la nature humaine plutôt que contre elle. Dites à quelqu'un que ses idées sont stupides et il les défendra toujours. Ridiculisez le point de vue d'une autre personne, et elle s'efforcera de sauver la face. Servez-vous de menaces, et les gens fermeront simplement leurs esprits à vos idées, sans tenir compte si elles sont bonnes ou non.

L'un des instincts les plus forts est la survie personnelle, et cela signifie autant le corps que l'ego. Pour notre propre protection, nous devons être prudents concernant les idées que nous acceptons et auxquelles nous donnons suite. Nous nous immunisons nous-mêmes contre des idées perçues comme étrangères. Les amis ne viennent pas vers nous pour se disputer violemment, et nous fermons simplement nos oreilles à des idées déguisées en ennemis.

Lorsque nous tentons de vendre des idées, nous devons faire appel à l'inconscient, *car aucune idée n'est acceptée jusqu'à ce que l'inconscient l'accepte.* « Un homme convaincu contre sa volonté garde encore la même opinion. » Cela décrit quelqu'un qui dit oui avec son esprit conscient seulement. Il semble d'accord du bout des lèvres, mais il ne donnera pas suite à cette idée.

Il n'y a qu'une seule façon de faire accepter une idée à notre inconscient : par la *suggestion.* Essayez de glisser une idée dans le subconscient de quelqu'un et qu'il s'en rende plus ou moins compte. Vous aurez du succès dans des discussions dans la mesure où vous réussirez à glisser vos idées par-delà l'ego de l'autre personne. Son ego monte la garde à l'entrée de son inconscient. S'il est provoqué, l'ego ne laissera pas passer vos idées.

Des règles pour remporter vos discussions

1. **Permettez aux autres de faire valoir leurs arguments.** N'interrompez pas ; n'oubliez pas d'écouter. La personne qui a quelque chose à dire s'est préparée à parler. Jusqu'au moment où elle aura dit ce qu'elle voulait, elle ne sera pas disposée à écouter vos idées. Si vous voulez que vos idées soient entendues, apprenez à écouter d'abord les idées de cette personne.

   Demander aux gens de répéter leurs points clés est très utile quand quelqu'un est agité. Leur permettre de donner libre cours à ce qu'ils ressentent réduit leur hostilité.

2. **Faites une pause avant de répondre.** Cela fonctionne également dans des

conversations où il n'y a pas de différences marquées d'opinions. Quand on vous pose une question, regardez l'autre, et faites une brève pause avant de répondre. Cela laisse savoir à l'autre personne que vous considérez ce qu'elle a dit suffisamment important pour y réfléchir.

Vous n'avez besoin que d'une petite pause. Faites-en une trop longue et vous donnerez l'impression que vous êtes hésitant ou évasif. Si vous devez être en désaccord, la petite pause est très importante. Si vous répondez par un « non » immédiat, cela fera penser aux gens que vous ne souhaitez pas suffisamment consacrer du temps à leurs problèmes.

3. **N'insistez pas pour gagner à 100 %.** Quand nous sommes en pleine discussion, la plupart d'entre nous essaient de prouver qu'ils ont totalement raison et que les autres ont tort. Des gens habiles à en persuader d'autres concèdent toujours *quelque chose* et trouvent un certain terrain d'entente.

   Si l'autre personne a un point en sa faveur, reconnaissez-le. Si vous cédez sur certains points mineurs et sans importance, il est plus que probable que l'autre cède sur des points très importants.

4. **Formulez votre cas avec modération et précision.** Il nous faut surveiller notre

tendance à exagérer quand quelqu'un s'oppose à nos idées. Énoncer calmement les faits est la façon la plus efficace de faire en sorte que l'autre change d'idée.

Des méthodes plus fermes peuvent sembler fonctionner de prime abord. Vous pouvez vaincre quelqu'un, l'embarrasser, le museler au point où il ne pourra plus dire quoi que ce soit. Votre auditoire applaudira. Vous aurez gagné le débat… ou du moins vous en aurez l'impression. Mais l'autre personne n'a pas accepté votre point de vue et ne donnera pas suite à vos idées.

5. **Parlez par l'entremise d'une tierce personne.** L'avocat qui veut gagner des causes rassemble des témoins pour les faire témoigner sur certains points qu'il veut communiquer au jury. L'argument est plus convaincant si une tierce personne impartiale décrit les événements. Les vendeurs emploient les témoignages de clients satisfaits. Les candidats à des postes en politique sollicitent des appuis.

   Parler par l'entremise d'une tierce personne peut être particulièrement valable quand il y a une différence d'opinions, et que vous voulez que d'autres voient les choses de votre façon. Les gens seront naturellement sceptiques à votre égard si vous affirmez des choses à votre avantage et pour votre propre intérêt. En outre, des exposés effectués par une tierce personne sont beaucoup moins susceptibles de provoquer les ego d'autres personnes. Des statistiques, des procès-verbaux, des fichiers historiques, et des citations peuvent tous être cités.

6. **Permettez aux autres de sauver la face.** Il arrivera souvent que d'autres voudront volontiers changer d'idée et être d'accord avec vous, excepté pour une chose : ils ont déjà pris un engagement définitif, une attitude ferme, et ils ne peuvent pas changer leur position de bonne grâce. Être d'accord avec vous exige d'eux d'admettre qu'ils avaient tort.

   Des gens habiles au chapitre de la persuasion savent comment laisser la porte ouverte pour que ces derniers puissent échapper à leur position précédente, sans perdre la face. Sans quoi, ils peuvent se retrouver prisonniers de leur propre logique. Si vous pouvez persuader une autre personne, vous devez non seulement la convaincre, mais vous devez également savoir comment la libérer de son propre raisonnement.

   La première méthode consiste à supposer qu'elle ne disposait pas de tous les faits : « J'ai d'abord ressenti la même chose sur ce sujet jusqu'à ce que j'obtienne cette information, ce qui a changé tout le portrait. » La seconde méthode consiste à suggérer une quelconque façon de pouvoir rejeter la responsabilité sur quelqu'un d'autre.

CHAPITRE 10

Faites des éloges

Faire des éloges libère de l'énergie. Avez-vous déjà remarqué à quel point votre esprit semble prendre son essor quand quelqu'un vous fait un compliment sincère ou vous remercie pour un travail bien fait ? Les éloges nous donnent une nouvelle énergie et une nouvelle vie. L'élan que vous ressentez grâce à des éloges n'est pas une illusion, et n'est pas attribuable à votre imagination. D'une certaine façon, une réelle énergie physique est libérée.

À cette étape-ci, vous pensez peut-être : *Qu'est-ce que des éloges ont à voir avec le fait de bien s'entendre avec les gens ?* La réponse est : *Tout.*

Peu d'entre nous se rendent compte à quel point il est important de reconnaître le mérite du travail de quelqu'un ; d'accorder de la reconnaissance et des éloges pour un travail bien fait. Les gens de partout sont avides de louanges et d'appréciations. Quand on accorde à d'autres ce dont ils ont faim, il y a de fortes chances qu'ils seront généreux en nous donnant ce que nous voulons d'eux.

Accomplissez un petit miracle chaque jour. Chaque fois que vous pouvez redonner courage à quelqu'un, l'imprégner davantage de vie et d'énergie, vous accomplissez un petit miracle. C'est simple. Tout ce que vous avez à faire est de *prodiguer des éloges sincères à quelqu'un, chaque jour,* et de remarquer à quel point cela le rend réellement capable de faire mieux.

Des éloges légitimes et le fait de reconnaître leur mérite quand il est dû, font en sorte que les gens se sentent non seulement mieux, mais ça leur permet de travailler de façon plus efficace. Lorsque les primes et le partage des profits sont basés sur le mérite, comme moyen pour une entreprise de reconnaître la valeur, la production s'améliore.

Soyez généreux au chapitre des affirmations bienveillantes. N'attendez pas que les gens fassent quelque chose de grandiose ou d'inhabituel pour les louanger. Si quelqu'un vous fait une petite faveur, montrez-lui votre appréciation et reconnaissez son mérite en disant : « Merci. » Recherchez des raisons pour lesquelles vous pouvez remercier les gens.

Dites-leur des mots bienveillants. Faites savoir aux gens ce que vous ressentez. Ne tenez pas pour acquis que les gens savent que vous les appréciez ; dites-leur. Quand vous faites savoir aux gens que vous prisez leurs actes, cela les incite à faire davantage et mieux.

Les règles pour dire « Merci »

1. **Les remerciements doivent être sincères.** Dites merci en y croyant vraiment. Dites-le en y mettant du sens et de la vie. Ne le dites pas d'une façon désinvolte ou par routine. Faites que ce soit un moment spécial.

2. **Ne le marmonnez pas ; dites merci à haute voix.** N'agissez pas comme si vous étiez presque honteux d'avoir à remercier quelqu'un.

3. **Remerciez les gens par leur prénom.** Personnalisez vos remerciements en nommant les gens. S'il y a plusieurs personnes dans le groupe que vous voulez remercier, ne dites pas seulement : « Merci tout le monde », mais nommez chaque personne.

4. **Regardez les gens quand vous les remerciez.** S'ils méritent d'être remerciés, ils valent la peine qu'on les regarde.

5. **Œuvrez à remercier les gens.** Consciemment et intentionnellement, commencez à envisager des raisons pour lesquelles vous pourriez remercier d'autres personnes.

6. **Remerciez les gens quand ils s'y attendent le moins.** Un merci est encore plus puissant quand l'autre ne s'y attend pas, mais ressent sûrement qu'il le mérite.

Vous pouvez augmenter votre propre bonheur en recherchant intentionnellement certaines valeurs chez d'autres gens. En faisant cela, nous arrêtons de nous concentrer sur nous-mêmes ; cela nous rend moins conscients et moins satisfaits de nous-mêmes ; plus tolérants et plus compréhensifs. L'un des traits les plus évidents d'une personne malheureuse est qu'elle critique excessivement. Elle recherche à dessein des fautes à reprocher à autrui. Quand elle change d'attitude afin de découvrir de belles qualités chez les gens, son propre bonheur augmente.

Personne n'est parfait. Il est dit qu'il y a du bon dans chaque personne. Si quelqu'un vous irrite, commencez à rechercher une qualité pour laquelle vous pourriez le complimenter. Si un autre individu vous fait de sévères réprimandes, faites-lui un compliment pour en atténuer l'impact. Non seulement cela le changera, mais ça modifiera aussi votre opinion sur lui.

Les aspects importants pour prodiguer des éloges sont :

1. **Ce doit être sincère.** La simple flatterie saute aux yeux et n'accomplit rien. Il y a toujours quelque chose qui *mérite* des louanges si vous cherchez attentivement. Il est de loin

préférable de louanger des gens pour une petite chose et le penser vraiment, plutôt que pour une grande chose et ne pas être sincère.

2. **Faites l'éloge du geste ou de la qualité plutôt que de la personne.** Louangez les gens pour ce qu'ils font plutôt que pour ce qu'ils sont. Quand vous faites l'éloge d'un geste ou d'une qualité, votre louange doit être précise et sincère. Les gens savent *exactement* la raison pour laquelle ils sont louangés.

Augmentez votre propre bonheur et votre paix de l'esprit en prodiguant cinq compliments sincères chaque jour, comme le recommande le chapitre 2.

Chapitre 11

Critiquez sans offenser

La plupart du temps quand nous disons à des gens : « Je vous dis cela pour votre propre bien », ce n'est pas exact. Nous signalons une de leurs fautes pour renforcer notre propre ego. L'un des défauts les plus courants dans les relations humaines est cette manière que nous avons d'essayer d'accroître notre propre sentiment d'estime de soi en rabaissant celui d'autres personnes.

Cependant, il y aura des moments où nous *devrons* faire ressortir des erreurs, et corriger celles qui nous favorisent injustement ou non. Et si on le fait correctement, *c'est un art authentique que peu de gens ont maîtrisé.*

Envisagez la critique sous un éclairage nouveau. Étant donné que l'art d'une critique efficace est si peu connu, et vu que la plupart des gens sont inaptes à la pratiquer, le mot *critique* laisse un mauvais goût dans la bouche. Le véritable art de la critique n'est pas de démolir les autres, mais de les encourager à grandir.

Il ne s'agit pas de blesser les sentiments des gens, mais de les aider plutôt à effectuer un meilleur travail.

Les éléments essentiels d'une critique réussie

1. **La critique doit se faire dans la plus stricte intimité.** Si vous voulez que votre critique fasse son effet, vous ne devez pas engager l'ego de l'autre personne contre vous. N'oubliez pas que votre objectif est d'atteindre un bon résultat final, et non de « dégonfler » l'ego de l'autre. Et même si vous avez des motifs louables et une bonne disposition d'esprit, ce qui compte vraiment c'est ce que l'autre ressentira à propos de votre critique. La forme la plus modérée de critique faite en présence d'autres personnes déplaira assurément. Qu'elle soit justifiée ou non, ces gens perdront la face devant leurs associés.

   Que vous observiez ou non cette règle, cela s'avère une bonne indication de vos motifs réels quand vous faites une critique. Critiquez-vous seulement quand vous avez un auditoire ? Si tel est le cas, votre véritable objectif n'est pas d'aider les autres, mais d'obtenir de la satisfaction pour votre ego.

2. **Faites précéder votre critique par un mot gentil ou un compliment.** Les mots gentils, les compliments et les éloges ont le don de créer une atmosphère amicale. Cela met les gens à l'aise au point où ils ne restent pas sur la défensive. Les louanges et les compliments ouvrent les esprits à ce qui doit être dit.

3. **Faites une critique impersonnelle.** Critiquez le geste, pas la personne. Ici encore vous pouvez échapper aux ego en critiquant les actions ou le comportement, et non pas la personne. En dirigeant votre critique sur leurs actes, vous pouvez leur faire un compliment et rehausser leur ego en même temps : « Je sais d'après mon expérience passée que cette erreur n'est pas typique de votre performance habituelle. »

4. **Fournissez la réponse.** Lorsque vous dites à d'autres ce qu'ils n'ont pas bien fait, dites-leur comment bien le faire. L'accent devrait être mis non pas sur l'erreur, mais sur la façon de la corriger et d'éviter que cela se reproduise de nouveau. L'un des plus grands motifs de plainte est : « Je ne sais pas ce qu'on attend de moi. » La plupart des gens sont désireux d'agir de la bonne façon si vous leur indiquez comment y parvenir.

5. **Demandez de la coopération, ne l'exigez pas.** Demander amène toujours une meilleure

coopération que de l'exiger : « Allez-vous faire ces corrections ? » provoque beaucoup moins de ressentiment que : « Refaites ce travail, et cette fois-ci, voyez à ce qu'il soit bien fait. » Vous obtiendrez bien davantage si vous encouragez des gens à vouloir changer plutôt que de leur ordonner de le faire.

6. **Une seule critique pour une seule faute.** Il est justifié de souligner une erreur une première fois ; cela s'avère inutile la deuxième fois ; cela devient agaçant une troisième fois. Lorsque vous critiquez, n'oubliez pas votre objectif : que le travail s'accomplisse, et non pas de remporter une bataille d'ego.

   Lorsque vous êtes tenté de déterrer le passé, ou ressasser une erreur lointaine, rappelez-vous qu'il est inefficace pour vous de revenir sans cesse sur la même chose.

7. **Terminez d'une manière amicale.** Jusqu'à ce qu'un problème soit résolu sur une note amicale, il n'est pas encore réglé. Ne laissez pas les choses en suspens pour y revenir plus tard. Réglez le problème et enterrez-le. Terminez par un vote de confiance : « Je sais que je peux compter sur vous. »

Conclusion

Quand j'ai commencé à écrire ce livre, je n'avais qu'un but à l'esprit : VOUS aider à améliorer vos relations humaines et à obtenir davantage de bonheur et de succès dans la vie. Ce livre ne sera pas vraiment terminé avant que ce but ne soit atteint.

Mettez les principes de ce livre à l'œuvre et vous atteindrez le Succès et le Bonheur.

Je vous souhaite la meilleure des chances !

LES GIBLIN

« ... le conditionnement de la santé peut rendre l'esprit suffisamment alerte et puissant pour changer le mode de pensée provenant de l'inconscient ; une forme de pensée créatrice qui mène au succès et au bonheur. »

NORMAN VINCENT PEALE

Imprimé sur du papier Enviro 100% postconsommation
traité sans chlore, accrédité ÉcoLogo et fait à partir de biogaz.

BIO GAZ ÉNERGIE